腳踏中西，依稀猶學術

一位自由人的政治文化評論

廖中和——著

目次

試就日知錄分析顧炎武的政治觀念

一　引言

顧炎武，江蘇崑山人。生於明萬曆四十一年，卒於清康熙二十一年。初名絳，乙酉國變後，改名為炎武，字寧人，學者稱亭林先生。顧氏為江東望族，少年行事耿介絕俗，與同里歸元恭為友，有歸奇顧怪之稱。亭林自幼便留心經世之學，讀書一目十行，尤其喜歡鈔書[1]。乙酉夏，先生起兵吳江，事敗得脫，嗣母王氏避兵常熟，絕食而卒，遺言後人切莫恥事二姓。王氏這種堅貞的志節，影響寧人甚大，他的一生實即謹守這個原則[2]。

亭林與明末諸老同，處於明清交變之際，深深忌諱明末士人遊心談性空虛無根的學風。其論學論政，均以力矯前代為宗旨，然而有時卻也不免矯枉過正。亭林學術宗旨，大體盡於兩語，一為博學於文，一為行己有恥[3]。「愚所謂聖人之道者如之何！曰博學於文，曰行己有

1 關於顧炎武的生平行誼，參考全祖望亭林先生神道表，載鮚埼亭集卷第十二，臺灣商務印書館四部叢刊集部。又江藩漢學師承記卷八顧炎武亦可參考，商務印書館將該書列為人人文庫一四七九號，極易購得。

2 讀亭林餘集內王碩人行狀，便可知道亭林受他母親的影響之大。梁啟超中國近三百年學術史（中華書局版）五十三頁稱：「（亭林）受了母親這場最後熱烈激刺的教訓，越發把全生涯的方嚮決定了。」

3 亭林學術大要，錢穆中國近三百年學術史（商務版）上冊第四章有很扼要的說明。林葱亭林思想述要從多方面論列探討，可參考之。

恥。自一身至於天下國家，皆學之事也；自子臣弟友以至於出入往來辭受取與之間，皆有恥之事也。……士而不先其恥，則為無本之人；人非好古而多聞，則為空虛之學。以無本之人，而講空虛之學，吾見其日從事於聖人，而去之彌遠也」[4]，這段話最能表現他的治學精神。

亭林著述的態度也很能代表他的為學旨趣。他認為「文之不可絕於天地間者，曰明道也，紀政事也，察民隱也，樂道人之善也」[5]，此外的文詞，則有害而無益，因此力斥文人之多及文人摹倣之病[6]。據他自稱：「文不關於經術政理之大，不足為也」[7]，同時更進一步主張，若要著述可傳，「其必古人之所未及，就後世之所不可無，而後為之，庶乎其傳也與」[8]？尤其可以看出他「言在一時，而其效見於數十百年之後者」[9]這種戛戛獨造的苦心。亭林一生著述甚多，而能符合他所自懸的目標者，當以日知錄[10]為最。亭林著作本書，態度至為嚴謹，依他所述「別來一載，早夜誦讀，反復尋究，僅得十餘條」[11]，不難看出其傳述之辛勞，甚至以為本書必須「以臨終絕筆為定」[12]。關於本書的性質，亭林曾多次道及，「別著日知錄，上篇經術，中篇治道，下篇博聞，共三十餘卷。有王者起，將以見諸行事，以躋斯世於治古之

---

4 亭林文集卷三與友人論學書。

5 日知錄卷二十一文須有益於天下條。

6 參看同書卷二十一文人之多與文人摹仿之病條。

7 全祖望亭林先生神道表內所引述。

8 日知錄卷二十一著書之難條。

9 同書卷二十一立言不為一時條。

10 本文所用的日知錄一書，是黃季剛、張溥泉兩先生校記並序，東海大學徐文珊教授標點斷句，民國五十九年十月臺北明倫出版社三版印行的，其中卷數及若干字句與前人略有不同。有關版本的問題，在該書各附錄內已獲解決。

11 顧炎武與人書十。

12 與潘次耕書。

隆，而未敢為今人道也」，[13]又言本書「意在撥亂滌污，法古用夏，啟多聞於來學，待一治後於王」[14]。所以亭林認為這本著作使他「平生之志與業皆在其中」[15]，毫無疑問的是他一生的代表作品[16]，同時又很自信其書必傳之於後世。這部書不僅見重於時人，而且受譽於後代，稱美其「綜貫百家，上下千載，詳考其得失之故，而斷之於心，筆之於書，朝章國典，民風士俗，元元本本，無不洞悉。其術足以匡其俗，其言足以救世，是謂通儒之學」[17]。我們認為亭林門人潘次耕所贊：「先生非一世之人，此書非一世之書」[18]，正是知己者寫實之言，並非私阿相好。

日知錄一書，內容極為繁複，作者自謂：「上篇經術，中篇治道，下篇博聞」，據原抄本所分卷帙，則一至十卷為經術，十一至二十九卷當為治道，餘三卷為博聞，但其實皆以治道為其內容中心[19]。以日知錄做為亭林政治觀念的分析對象，雖然不能概括無遺，至少還能得其旨要。亭林對於政治的主張，大率備詳於日知錄卷八至卷十二等五卷[20]，然則根據上述亭林的治學態度及其對本書性質的說明，我們把日知錄所有各卷視為他對「治道」的主張，亦無不可，所以本文的取材並不限於「治道」各卷。

由於日知錄的成書屬於筆記體，而且寫作時間長達數十年，如果

---

13 與人書二十五。

14 與楊雪臣書。

15 與友人論門人書。

16 同註14。

17 清儒學案卷七頁一五一，國防研究院中華大典編印會印行，民國五十六年十月臺灣初版。

18 前引學案引錄潘次耕之贊言。

19 徐文珊原抄本日知錄評介。又四庫總目提要亦敘列本書的內容，可參考之。

20 錢穆中國近三百年學術史上冊第四章一四六頁。

拿思想一貫體系井然的標準來相求，未免令人失望。況且，書中引用古人之言者多，發揮己見者少，如果不加以爬梳整理，難免雜多而亂。同時，我們必須指出的，亭林所注重的是「實際政事之利病，而無意為原理上之探索發揮」[21]。因此就嚴格的意義言，亭林顯然不能稱之為「政治思想家」或「政治哲學家」，準是而論，則對日知錄內呈現的各種政治見解來說，「政治思想」實為過於偉大的名詞。雖然有些學者探究亭林的「政治理想」[22]，我們固然不能說亭林全無政治理想，但衡之以他的整個基本精神，則亭林絕對不會以「政治理想」為標榜，那麼用「政治理想」來研究他，未免要令亭林反對於地下了。上面曾經提到，亭林所重視的是實際政事上的改革，然而我們認為，政策的設計，制度的改革，比較受時間空間的限制，時移勢遷，或成陳跡，甚至於對歷史的了解，亦無太大的幫助[23]。而這些改革或主張所根據的基本觀念，雖然也是受了時代環境的影響，但比較少受時空的拘限，就政治思想史的研究而言，或許較為妥切。本文試以日知錄為準，分析顧炎武的基本的政治觀念[24]。

21 蕭公權中國政治思想史（五）頁六一二。

22 前引錢著一四六頁即以「亭林之政治理想」為題來探討。

23 薩孟武中國社會政治史第四冊序言中，即曾認為日知錄雖卷帙極多，但對於研究歷史的人，價值並不很大。

24 本文所用「思想」一詞，含有自成一家之言的意義，「觀念」一詞，則是指比較普通性的認識與主張。事實上，研究政治思想的學者常把二詞混用。本文做這種勉強的區分，純是為了方便起見而定的 working distinction，赤誠而言，並沒有太大的意義。

二　基本的政治觀念

1　天下與國

亭林論政，其範圍與今人有所不同，我們不可不提出來討論。日知錄一書內固然沒有明白指出，但是從其言論中仍能推知，亭林所重者在天下而不在國。他說：「君臣之分所關者在一身，夷夏之防所繫者在天下。故夫子之於管仲，略其不死子糾之罪，而取其一匡九合之功。蓋權衡於大小之間，而以天下為心也。夫以君臣之分猶不敵夷夏之防，春秋之志可知矣」[25]。至於天下與國二者間的區別，他並沒有從正面主張，卻從反面加以說明，「有亡國有亡天下。亡國與亡天下奚辨？曰，易姓改號謂之亡國。仁義充塞，而至 於率獸食人，人將相食，謂之亡天下」[26]，於是他認為「古聖王之征誅也，取天下而不取其國，誅其君弔其民，而存其先世之宗祀焉斯已矣。……取天下者無滅國之義也」[27]，更進而申論，「是故知保天下然後知保其國。保國者其君其臣，肉食者謀之。保天下者，匹夫之賤與有責焉耳矣[28]」。從上面引用的話來看，亭林顯然以為天下與國截然有其不同，並以天下為重以國為輕，二者間的區別在於所謂「夷夏之防」，淺易地說，即以文化為區別。學者曾經指出：「在顧氏（指顧炎武）全文中，恰恰沒有今世之國家觀念存在！恰相反，他所積極表示每個人要負責衛護底，既不是國家亦不是種族，卻是一種文化，他未曾給人以國家觀

---

25 日知錄卷九管仲不死子糾條。

26 同書卷十七正始條。

27 同書卷二武王伐紂條。

28 同註26。後人稱「國家興亡匹夫有責」實非亭林本意，其本意當為「天下興亡匹夫有責」。

念，他倒發揚了超國家主義」[29]，雖不無過甚其詞，然則我們認為，就日知錄全文看來，亭林論政的確主要是以天下為著眼點，也就是說，他對政治的觀念，乃是一種文化的政治觀念。再從亭林的著述來探討，他既自稱：「凡文不關於六經之旨，當世之務者，一切不為」[30]，則又何以有音學五書之撰述？試問此書與明道救世之關係如何？學者加以解釋道：「治音韻為通經之鑰，而通經為明道之資，明道即所以救世」[31]。更就日知錄中篇治道各卷來觀察，其中所列舉搜羅的項目幾乎全與文化有關者，由這些旁證，益發使人堅信，亭林所懷抱的正是「文化的政治觀念」，這是貫串了他整個思維的基本觀念，因此我們特地予以標出，免得發生牽強附會的錯誤。正因為他有這種基本的認定，所以在高論治道時，常常由學問之道旁推至於治道[32]，甚至力主治天下必學然後可[33]，這些都是值得我們注意的地方。

2　君與臣

亭林稱：「所謂天子者，執天下之大權者也。其執大權奈何？以天下之權，寄之天下之人，而權乃歸於天子。自公卿大夫，至於百里之宰，一命之官，莫不分天子之權，以各治其事，而天子之權乃益尊」[34]。乍看起來，這似乎就是他對君臣關係所下的定義，很有「官者

29 梁漱溟中國文化要義頁一六七，民國五十八年四月臺北正中書局四版刊印。又柳貽徵中國文化史下冊討論亭林處亦可參考。

30 文集卷四與人書三。

31 前引錢著頁一三四。

32 日知錄卷十自視欲然條即為一例。

33 同書卷九不踐跡條。

34 同書卷十三守令條。

分身之君」[35]的意味。可是在別處他卻又說：「唐柳宗元之言曰：『有里胥而後有縣大夫，有縣大夫而後有諸侯，有諸侯而後有方伯連師，有方伯連師而後有天子』。由此論之，則天下之治始於里胥，終於天子，其灼然者已」[36]。這兩段言論，如何連貫起來？亭林是否以為天子之立，是由下及上的，而「權」之施行，則是由上及下的？我們不敢故意求其連貫，只得存疑。亭林認為「傳賢之世天下可以無君，……傳子之世，天下不可無君」[37]，似已認定君為既成事實，何況「未有無事而為人君者」[38]，那麼人君之事為何？亭林對此沒有積極具體的說明，有的也無非是「舉賢才、慎名器」[39]，「保民而王」[40]，簡單說，就是行仁政而已。但他對人君倒是做了種種要求，諸如「人主之德莫大乎下人」[41]，又說「享天下之大福者，必先天下之大勞。宅天下之至貴者，必執天下之至賤」[42]，再如「百姓有過在予一人，凡百姓之不有康食，不虞天性，不迪率典，皆我一人之責」[43]，並設為比喻「國猶水也，民猶魚也。……自人君有求多於物之心，於是魚亂於下，鳥亂於上」[44]。從上面引述的話看來，亭林以道德的標準要求人君，似無意畀予大權，用他的話說，「以天下之權，寄之天下之人，而權乃歸於天子」，這真是「垂衣裳而天下治，變質而之文也」[45]。亭林沒有提出很

35 黃黎洲明夷待訪錄語。
36 日知錄卷十一鄉亭之職條，所引柳宗元之言見柳河東集卷三封建論。
37 同書卷二顧命條。
38 同書卷六王公六職之一條。
39 同書卷三私人之子百僚是試條。
40 同書卷九子張問十世條。
41 同書卷一鳥焚其巢條。
42 同書卷十飯糗茹草條。
43 同書卷二百姓有過在予一人條。
44 同書卷一包无魚條。
45 同書卷一垂衣裳而天下治條。

具體的辦法限制君權，我們不敢說他有意限制君權，但他不願賦與人君以大權，則似乎是可以肯定的。如此一來，則政治的責任自然大部分要落在臣吏身上。亭林認為「君臣之義無所逃於天地之間」[46]，主張「為人臣者必先具人君之德，而後可以堯舜其君」[47]，但是他又認為「若受君之命而任其事，有官守者不得其職則去，有言責者，不得其言則去矣」[48]，尤其告誡「求治之君其可以天子而預銓曹之事哉」[49]？亭林的旨意顯然可見。亭林論官職，比較重視小官，因為他認為「天下之治始於里胥」，真正推行政治事務的畢竟是與人民發生直接關係的小官，所以「小官多者其世盛，大官多者其世衰」[50]。雖然如此，但他卻以為官固然宜省不宜多，但這並非探本之論，於是引用晉荀勗的看法，「省官不如省事，省事不如清心。……為治者識此，可無紛紛於職官多寡之間矣」[51]。此種看法固然是由於「自古國家吏道雜而多端，未有不趨於危亂者」[52]，但是衡諸政治史實的進展，政治事務只有隨著時間的演進而增加，吏道之良否絕非「省事」這種開倒車的辦法所能解決的，亭林的見解實為不切實際。

此外我們必須探討亭林的「親親」論。亭林認為「自古帝王為治之道，莫先於親親」[53]，他以為周代之所以興，原因在於能親其兄弟，而西漢之所以亡，則是因為吳楚七國之變？抑損諸王，本末俱弱。於

46 同書卷五趙盾弒其君條。
47 同書卷一九二君德條。
48 同書卷一罔孚裕無咎條。
49 同書卷二建官惟百條。
50 同書卷十一鄉亭之職條。
51 同書卷十一省官條。
52 同書卷三私人之子百僚是試條。
53 同書卷十三宗室條。

是感歎說：「人主之宗屬，豈必無才能優於庶姓者哉」[54]？親親論的主要理由是：「在上位者能順乎親，而後可以事天享帝，在下位者能順乎親而後可以獲上治民」[55]，如此一來，「人人親其親長其長，而天下平矣」[56]，然而奇怪的是，亭林由這種親親論更進而主張，「夫人主而欲親民，必自親大吏始矣」[57]，於是大臣又添加了誨其君齊其家的任務，「太宰之于王不惟佐之治國，而亦誨之齊家者也。……後之人君，以為此吾家事，而為之大臣者，亦以為天子之家事，人臣不敢執而問也。其家之不正而何國之能理乎」[58]？職是以觀，則臣與君不僅有政治上的關係，而且可以參與人君之家事。這種見解，就是習染於倫理政治下的人，也會覺得有點訝異。君與臣的關係益發難以明瞭了。

3　法制與人材

亭林認為法制與人材有相互關係，此地為簡便起見合而論之，並不違背亭林本意。他以為法之所以立，絕非如後代之法旨在有所拘科，「古之立法，意在惜人」[59]，「前人立法之初，能詳究事勢，豫為變通之地。後人承其已弊，拘於舊章，不能更革，而復立一法以救之，於是法愈繁而弊愈多」[60]。所以他大為讚賞周代的良法美意，因為

54 同前註。
55 同書卷九鬼神條。
56 同書卷九未有上好仁而下不好義者也條。
57 同書卷十三刺史守相得召見條。
58 同書卷六閽人寺人條。
59 同書卷十七除貪條。
60 同書卷十一法制條。

周家一代之法「蓋於詳細之中，而得易簡之意」[61]。法制與國家之治亂關係極其密切，「夫惟於一鄉之中，官之備而法之詳，然後天下之治，若網之在綱，有條而不紊。至於今日一切蕩然，無有存者。且守令之不足任也，而多設之監司。監司之又不足任也，而重立之牧伯。積尊累重，以居乎其上，而下無與分其職者。雖得公廉勤幹之吏，猶不能以為治，而況託之非人乎」[62]。不僅如此，「叔向與子產書曰，國將亡，必多制。夫法制繁，則狡猾之徒，皆得以法為市。而雖有賢者，不能自用，此國事之所以日非也。善乎杜元凱之解左氏曰，法行則人從法，法敗則法從人」[63]，所以會產生法從人的情形，原因多端，但用例破法因例立法最是可畏，「法者公天下而為之者也。例者因人而立，以壞天下之公者也。昔之患在於用例破法，今之患在於因例立法。自例行而法廢矣。……所以然者，法可知而例不可知也」[64]。所以他認為「治天下之道，有不恃法而行者」[65]，「法制禁令，王者之所不廢，而非所以為治也。其本在正人心厚風俗而已。……天下之事固非法之所能防也」[66]，亭林之不重法而重人心風俗，於此昭然可見。何況法制足以敗壞人材，尤非反對不可，「法令者，敗壞人材之具。以防姦宄，而得之者什三。以沮豪傑，而失之者，常什七矣」[67]。他素來認為「天下之事得之於疏而失之於密，大抵皆然」[68]。要解救這種法密而阻窒人材的缺點，必須「開誠布公以任大臣，疏節闊目以理庶事，則文法省

61 同書卷十一里甲條。
62 同書卷十一鄉亭之職條。
63 同註60。
64 同書卷十二銓選之害條。
65 同書卷十六盜賊課條。
66 同註60。
67 同書卷十二人材條。
68 同註65。

而徑竇清，人材用而狐鼠退矣」[69]。亭林論人材，力言銓選之害，並認為用人太拘資歷，徒使豪傑之士老死於草莽，而不能為國用，成大事立大功。他最佩服的是通儒，既能明經兼能救世；最痛恨的是「儒非儒，吏非吏」「既以害民，而卒以自害」[70]的闒茸，徒然敗壞國政。所以他很憤慨的引用金章宗時平章政事張汝霖的名言：「不拘資格，所以待非常之材」[71]。總括而言，亭林認為法制只是不可廢而非所以治的工具，寧取其疏勿見其密，以使非常的人材能夠有所發揮，然而為治之道，其根本還是在正人心厚風俗。

4 風俗

風俗論是亭林著述中頗堪注意的特點，研究他的學者大抵都有這種認識。他之重視風俗，可以說是文化的政治觀念籠罩下，必然會有的推論。「嗟乎，論世而不考其風俗，無以明人主之功。余之所以斥東周而進東京，亦春秋之意也」[72]。在他看來，風俗的良窳，無異是天下命脈之所寄，所謂「小雅廢而中國微，風俗衰而叛亂作矣」[73]。並引羅仲表之言，曰：「教化者，朝廷之先務；廉恥者，士人之美節；風俗者，天下之大事。朝廷有教化，則士人有廉恥，士人有廉恥，則天下有風俗」[74]，風俗不僅是天下之大事，而且貫串了朝廷士人與乎天

69 同書卷十一都令史條。
70 同書卷十二選補條。
71 同書卷十二停年格條內所引。
72 同書卷十七周末風俗條。
73 同書卷十七清議條。
74 同書卷十七廉恥條。

下，幾乎就是治道的最後歸結了。由上引一段話，可以看出亭林最重視的正是廉恥，他認為「禮義治人之大法，廉恥立人之大節。蓋不廉則無所不取，不恥則無所不為，人而如此，則禍敗亂亡亦無所不至。……而四者中，恥為尤要」[75]。所以他又很重清議，即便是「天下風俗最壞之地清議尚存，猶足以維持一二。至於清議亡而干戈至矣」[76]。他所謂「漢人以名為治，故人材盛。今人以法為治，故人材衰」[77]，文中之「名」，實即指士大夫的氣節與清議。然而他又深知「天下無不可變之風俗」[78]，要移風易俗，則須「有國者登崇重厚之臣，抑退輕浮之士」[79]，而且以為「人君御物之方莫大乎抑浮止競」[80]。亭林一方面主張振清議，一方面卻又要「抑浮止競」，其間似乎不無杆格不入之處。因為從政治史實來看，清議就人主視之，往往就是處心積慮想要加以抑止的輕浮之論。不過我們認為，此地亭林所指的清議及人主，皆是他想像中塑造的完美型態，無需予以深究。亭林的風俗論極受學者推崇，但也有學者辨識其非[81]。值得一提的是：亭林誠然貴廉重恥，但絕不以刻板而不通人情的廉恥加諸天下人，他說：「制民之產，使之甘其食美其服，而後教化可行，風俗可善乎」[82]。可見他很重視人民的生計，人民生計之重要，拿他的話來說，「吾未見無人與財而能國者也」[83]，所以主張人主必須阜民之財，不許人主與民爭利，

---

75 同前註。
76 同註73。
77 同書卷十七名教條。
78 同書卷十七宋世風俗條。
79 同書卷十七重厚條。
80 同註78。
81 政治學者薩孟武先生即曾為人論述。
82 日知錄卷十六人聚條。
83 同書卷十六財用條。

甚至認為「財聚於上是謂國之不祥。不幸有此，與其聚於人主，無寧聚於大臣」[84]。同時他很重視官吏的俸入，以為吏道之壞實源於俸薄，而「大臣家事之豐約，關於政化之隆污」[85]。了解到亭林這種看法之後，則其所謂「人聚於鄉而治，聚於城而亂」，我們才不致於產生誤解，因為道理在於「聚於鄉則土地闢田野治，欲民之無恒心，不可得也。聚於城則徭役繁，獄訟多，欲民之有恒心，亦不可得也」[86]。其義實取於「民無恒產者無恒心」的古訓。而其目的則在使民人上下「均」「安」，達到「大小相維、多寡相埒」[87]的地步，這才是良風美俗的真正基礎，而在亭林看來，這就是治道的最後宗旨了。

三　結語

在日知錄書內數以千計的條目中，難免有見解不符或有所出入之處，勉強為它理出脈絡，自嫌武斷。但是如果未能把握亭林的基本政治觀念，勢必作出似是而非之論。根據以上的分析，我們認為亭林基本上以文化的政治觀念貫穿前後，所以他重視的是由人格的薰陶以培養人材，而不是深文周內的法制；強調的是事務的解決，而不是權力的如何安排與抗衡。亭林抱持的是文化的政治觀念，此地文化指的當然是以儒家為主的中國文化，因此在亭林的政治觀念的內裏，實際上乃是以倫理政治的觀念為根柢。基於上述的看法，我們不認為亭林的郡縣論純然是為對抗專制君權的，也不認為他主張地方自治，更不認

84 同前註。

85 同書卷十七大臣條。

86 同註82。

87 同書卷十一屬縣條。

為他的風俗論就是「心理建設」[88]。我們寧可讓亭林的見解呈現其原本的矛盾，而不願意妄加不必要的穿鑿附會。

此外，亭林秉性剛直耿介，「是曰是，非曰非」[89]，其論人論事，不稍假藉，但是這種黑白判然的態度，在研討複雜多端的政治現象，提出改革的方案時，不一定能中其肯綮，「天下之枉，未足以害理，而矯枉之枉常深。天下之弊未足以害事，而救弊之弊常大」[90]，亭林在某些方面，也許仍然難逃此種考驗。所謂「天下大事壞於奸臣者十之三四，壞於不通世故之君子者，倒有十分之六七」[91]，這段話也許過激，但依然值得我們深思。

亭林學術，方面廣大，「為有清一代學術淵源所自出」[92]。其治學態度之嚴謹，採證之博洽，在方法上影響清代學術甚大[93]。後來有的學者把清學比擬為歐洲的文藝復興運動，雖然有人指斥為「不倫不類」[94]，但這種比擬似乎還發生了相當的影響力。我們以為，有清一代的學術為中國以往學術之總結，而做為清學開山祖師的顧亭林，其學術的貢獻主要在於整理，尚非創造。也許亭林最大的成就不在思想上有突創的建樹，他所成就的是人格的風範，而對於人格的風範，僅止就他的著述從事於分析解釋是沒有太大意義的，或者至少是不很切題的。我們不要忘了亭林的一生是博學於文行已有恥兩大原則激盪合流

88 林慕亭林思想述要一書中即以「心理建設」「物質建設」等三民主義的名詞來討論亭林的政治思想，愚意以為不甚妥當，因為：以古解今已嫌牽強，以今解古徒增附會。

89 日知錄卷九聽其言也厲條。

90 路史封建後論所言，轉引日知錄卷十三藩鎮條。

91 語出老殘遊記第十四章。

92 前引清儒學案第一冊卷六頁一二二。

93 參考梁啟超清代學術概論頁十三－十四。

94 見居浩然寸心集頁一三三。

而成的，單是對他的「博學於文」加以了解，至多只能算是看到了半個顧亭林。我們必須從他跌宕壯闊的生平，剛毅磊落的氣節中，去體會，去領悟[95]。雖然亭林的人格與著述有密切的關係，其作品在學術上也有不可磨滅的價值，但我們不妨這麼說：顧亭林是一個人格比著作更其偉大的人。

——《中華文化復興月刊》第四卷第十二期（1971年12月）

95 梁啟超、錢穆均認為顧亭林的生平志業對了解他的整個精神，是非常重要的，見兩氏所著中國近三百年學術史。

淺釋明夷待訪錄

一 引言

政治思想家的著作，往往是由於現實政治環境的引發，從而提出一種理想國家的描述，明夷待訪錄就是這類性質的著作。

明夷待訪錄是黃宗羲的作品。黃氏字太沖，人們尊稱他為黎洲先生，生於明萬曆三十八年，死於清康熙三十四年，他在少年時代，即遭家變，生平行事很有古俠士之風。他的父親忠端公被逮捕時；親自告訴梨洲說：「學者不可不通知史事，可讀獻徵錄」，「公遂自明十三朝實錄上溯二十一史，靡不究心，而歸宿於諸經。既治經，則旁求之九流百家，於書無所不窺者」[1]。後來奉父遺命，就學於劉宗周，據他自己說：「受業蕺山時，頗喜為氣節斬斬一流，又不免牽纏科舉之學，所得尚淺，患難之餘，始多深造，於是胸中窒礙為之盡釋，而追恨為過時之學」[2]。梨洲同顧亭林等人一樣，留心實錄，熟悉掌故，這本是導源於東林學派。梨洲雖然是劉蕺山的門人，學宗陽明，但蕺山力矯明末士人遊心談性之失，梨洲也「重實踐，重工夫，重行，即不復蹈懸空探索本體墮入渺茫之弊，而一面又不致陷入猖狂一路，專任自然」[3]。梨洲說「明人講學，襲語錄之糟粕，不以六經為根柢，束書而

1 全祖望黃梨洲先生神道碑，鮚埼亭集卷十一。黃氏生平可參考此文及江藩漢學師承記。

2 同前註。

3 錢穆中國近三百年學術史上冊第二十六頁。

從事於遊談」，於是就業於梨洲的學者，「必先窮經，經術所以經世，方不為迂儒之學，故兼令讀史。又謂：讀書不多無以證斯理之變化，多而不求於心，則為俗學」[4]。這種態度，貫穿了他的各種著作，乃是他為學的基本精神。

梨洲的政治興味，培養有素[5]。待訪錄成書於康熙元年壬寅，年已五十三[6]。書中極言政事。雖則「就黃氏學術全體觀之，尚非其根本之所在」[7]。不過，梨洲對這本書很自負，也頗為時人重視，「讀之再三，於是知天下之未嘗無人，百王之敝，可以復起，而三代之盛，可以徐還也」[8]，可說是推崇備至。有的學者認為，儒家政治理想中的最高原則，自孔孟以後，最能清楚地加以意識，並積極地予以提倡的，當是黃梨洲、王船山、顧亭林等人[9]。但在這三人中，亭林注重的是各種制度實際上的措施，船山注重的是民族觀念之激勵，梨洲則著眼於政治最高原理的發揮，極盡探本窮源之能事，所以「對政治理想之貢獻，則較同時諸老為宏深」[10]。不過，梨洲在書中的見解，有許多發端自方孝孺[11]，因此所謂待訪錄「僅就學術之成就論，已為自魏晉以降，有關政治思想，不可多得之專著」[12]，未免過分誇大。但待訪錄不僅在學術史上有它的地位，而且在實際政治上也發揮了相當的影響力。滿清末

4 同註1。

5 參考前引錢著第三十三頁。

6 高準黃梨洲政治思想研究稱成書於五十三歲，見該書第三十九頁；蕭公權中國政治思想史第五九七頁則說時年已五十四，這可能是計算標準有所不同。

7 蕭公權中國政治思想史第五九七頁。

8 明夷待訪錄顧寧人書。

9 牟宗三政道與治道第一六四頁。

10 同註5。

11 薩孟武中國政治思想史序（九）認為，黃梨洲不過依方孝孺之見解，反抗暴君而已，絕非民主主義。又請參考同書第四〇〇頁。

12 曾繁康序前引高準專著文中所稱。

造，立憲派提倡民權共和的學說，曾將待訪錄秘密印行刊佈，「於晚清思想之驟變，極有力焉」[13]。國父孫逸仙先生在從事革命工作時，雖然身在海外，仍隨身攜帶私刊書冊兩本，其中之一就是待訪錄中原君原臣兩篇[14]。待訪錄與中國近代史上的革命運動，淵源頗深。梨洲有關政治思想的論著，還有留書，不過已經散佚，無從見其全豹。而待訪錄又「以多嫌諱勿盡出」，則目前流行的版本，或許並不是原本。但單就現行版本而論，書中體系釐然，思想一貫，足可稱為一家之言，以待訪錄做為梨洲政治思想的主要代表，似無不當之處。

待訪錄既為梨洲政治理論的代表，那麼也就是他的理想國家之描述。政治思想家在描述理想國家時，恆常脫開歷史事實的拘束，揭櫫某種基本的政治原理，以為立論之本，待訪錄似亦不例外。但梨洲非常重視史學，所以提出具體的政策時，必推考史實，做為改革的準據。換句話說，書中「應然」與「實然」混在一起。此地為了說明方便起見，暫時把待訪錄區分為（一）政治原理的發揮；（二）政制的設計與改革。

二　政治原理的發揮

1　政治社會的發展

思想家在推究政治社會的起源時，勢須對人性做一假定。待訪錄中對於人性的假定，可得而言者約有三端：（一）人性是自私自利的；

13 梁啟超清代學術概論第二十頁，這件史實或可部分地解釋待訪錄受人重視的原因。
14 吳相湘孫逸仙－中華民國國父第一冊第一二九至一三〇頁所引。

（二）人性是好逸惡勞的；（三）人性是多欲的。由於人性如此，所以在原始的社會中，「天下有公利而莫或興之，有公害而莫或除之」（原君），政治社會之所以成立，目的即在於「使天下受其利……使天下釋其害」（原君）。這是古代「仁者」當政時的情形。然而到了後來，為人君者不明乎此義，以「我之大私為天下之大公」，把天下看做是私人的產業，於是想盡辦法以確保並增加私人的產業，人君竟因而成了天下之大害。原君篇說：「古者以天下為主，君為客，凡君之所畢世而經營者，為天下也；今也以君為主，天下為客，凡天下之無地而得安寧者，為君也」，這段話最能說明梨洲的觀點。至於政治社會從上古之理想轉變為現今之腐敗，其歷史過程為何，梨洲沒有加以說明，略嫌美中不足。同時，梨洲的最高原理雖然出於孟子貴民與禮運天下為公之論[15]，但他對於人性的假設，則與孟子有所不同。尤其值得注意的，他認為無君時，「人各得自私也，人各得自利也」，猶勝於有君之為天下之大害，可見梨洲痛斥的不是自私自利的人性，而是以一已的自私自利強加於天下人[16]。

2　君臣關係

政治社會之所以成立，乃是在使天下受其利，使天下釋其害，但是人君不能一人而治，於是有臣。原臣篇說：「緣夫天下之大，非一人之所能治，而分治之以群工。故我之出而仕也，為天下非為君也，

15 前引蕭著第五九八頁。

16 牟宗三在政道與治道第一六六頁說：梨洲以「好逸惡勞」之通情以明古人不欲居君位，此事若真可以「好逸惡勞」解之，則禪讓亦是自私。筆者認為，梨洲痛斥的不是自私自利的人性，而是以一已的自私自利強加於天下人。

為萬民非為一姓也」。含有君臣分工治理天下的意思，同時認定臣之出仕，乃是為天下為萬民，不是為一君為一姓，這是因為「天下之治亂不在一姓之興亡，而在萬民之憂樂」。梨洲更進而申論君臣關係，於原臣篇中設為比喻：「夫治天下猶曳大木然，前者唱邪，後者唱許，君與臣共曳木之人也」，可見君臣必須彼此合作彼此抗衡，才能治理天下，君臣的地位絕無高下之分，因此梨洲力斥後世人臣之以君之意為度，捨已從君，因為這樣一來，不啻是荒廢本職，同時，他又嚴詞駁斥君臣比於父子的說法，他認為父子關係乃是自然的關係，即所謂「子分父之身而為身」，君臣關係則是從天下而有之者。所以原臣篇中才有「吾無天下之責，則吾在君為路人；出而仕于君也，不以天下為事，則君之僕妾也，以天下為事，則君之師友也」，這段激烈的言論。梨洲有關君臣關係的討論，本乎以民為主，以天下為事的立場，一掃專制天下「君為臣綱」的傳統觀念。尤其值得注意的，他認定君臣乃所以分治天下，彼此合作，彼此抗衡，更進而宣稱「臣之與君名異而實同」，並期望臣為君之師友，在他提出具體的政策時，均寓有這種精神，對於一位習染於專制政治下的學者來說，能有這樣的見解，確實是難能可貴的。

3 法

待訪錄中認定三代以上有法，三代以下無法。原因在於：三代以上之法，是在使天下有所耕養衣食，制禮防淫，教化人民，以防其亂，其立法精神「固未嘗為一己而立也」（原法）。至於三代以下之法，則是人主為保有其利益澤及子孫，所以「其所謂法者，一家之法而非天下之法也。」梨洲認為，三代之法藏天下於天下，人君不與民爭山澤之利，不與民奪刑賞之權，以故「法愈疏而亂愈不作，所謂無法之法也」。到了後世，人主恐懼自身利益的喪失，於是「用一人焉，則疑其自私，而又用一人以制其私；行一事焉，則慮其可欺，而又設一事以防其欺」，使得其法不得不密，然則「法愈密，而天下之亂即生於法之中，所謂非法之法也」。梨洲論法，仍基於「天下為主君為客」的主張，凡為天下而立的法，即是良法；而以一姓之私所立的法，則是非法之法，違背了貴民之旨。從另一方面看，三代公天下而法因以疏，後世私天下而法因以密，前者近於無法，後者適成非法。然則如何才能改變此種非法之法呢？梨洲認為一要去除法祖之謬論。認為法祖是俗儒之勦說，必須「遠思深覽，一一通變」，否則「雖小小更革，生民之戚戚終無已時也」。梨洲稱美三代之法，又主通變而不法祖，其間不無矛盾之處[17]，不過我們不妨暫且認為，梨洲所要去除的「法祖」，所法之祖乃是指三代以後的祖。其次則反對「有治人無治法」[18]，認為非法之法桎梏天下人之手足，「即有能治之人，終不勝其牽挽嫌疏之顧盼。有所設施，亦就其分之所得，安于苟簡，而不能有度外之功名。使先王之法而在，莫不有法外之意存乎其間。其人是也，則可以無不行之意；其人非也，亦不致深刻羅網，文害天下」（原法），梨洲深怕「動以法制束縛其手足，蓄有才而不能盡也」[19]，所以他結論認為「有治法而後有治人」。此地必須指出，梨洲的「治法」，乃是在得「治人」，與「依法而治」的意義畢竟存有些許距離，因此學者以為梨洲的結論，「和現代的法治觀念極為接近」[20]，似難令

17 這點經孫廣德先生指出，敬誌於此。

18 見荀子君道篇，梨洲的人性假定，和孟子不同，與荀子較為相近，但所主張「有治法而後有治人」，即與荀子相反，這點值得探討。

19 黃梨洲南雷文定後集卷一明名臣言行錄序。

20 陳顧遠〈中國政制史上的民本思想〉，收入中國文化與中國法系一書，本句引自該

人贊同。總而言之，要撥亂反正，在盡廢專制天下之君本位制度，以恢復封建天下之民本位制度。

三　政制的設計與改革

待訪錄中在提出具體的政制時，首先對歷史上各朝的政策或制度略加敘述，然後說明明代政制的缺失，最後根據梨洲心目中的基本政治原理，參照各代的得失，提出他的理想政制。本文不擬對歷史的敘述加以重複，僅就書中提出的政制來探討。待訪錄中討論的政制，約略予以歸納，可分為教育、財政、國防、官制等項目。

1　教育

梨洲認為學校之設不僅在於養士而已，更重要的乃是「必使治天下之具，皆出于學校」，俾「使朝廷之上，閭閻之細，莫不有詩書寬大之氣」（學校），意即要把知識分佈於全國上下，字裡行間，儼然有學術領導政治的意味在[21]，同時想藉此而培植與論的力量，學校篇說：「天子之所是未必是，天子之所非未必非。天子亦遂不敢自為非是，而公其非是于學校」。可見梨洲把學校視同輿論定裁的中心，所以說：「養士為學校之一事，而學校不僅為養士而設也」。梨洲也很重視教育的普及，除了學宮之外，凡是在城在野的寺、觀、庵、堂等，規模大

書第一六〇頁。

21 前引高準專著第二頁。

的即改為書院，由經師主持，規模小的改為小學，由蒙師主持。此外學校篇甚至這麼主張，即「民間童子十人以上，則以諸生之老而不仕者充為蒙師」，普及教育的結果要達到「郡邑無無師之士，而士之學行成者，非主六曹之事，則主分教之務，亦無不用之人」，這種理想雖不易達到，但梨洲舉讀書人的學業與職業一併解決之，氣象甚為浩大。

梨洲對教育有許多開明的主張，關於郡縣學官的選拔，「自布衣以至宰相之謝事者，皆可當其任，不拘已未仕也」。談到學生與老師間的關係，其言論尤為大膽，「其人稍有干于清議，則諸生得共起而易之，曰是不可以為吾師也」，這種言論顯然本著以學生為主以師為客的基本原理，雖然待訪錄中沒有明白說出，但依據天下為主君為客的主張，我們似乎不妨這樣推斷。梨洲固然注重學生的地位，但是對於老師的地位也相當推崇，同時有意無意間，要以學官與其他大臣相抗衡，學校篇說：「太學、祭酒推擇當世大儒，其重與宰相等，或宰相退處為之」，考其旨意，似乎有意在貫澈以學術領導政治的原則。甚至還有更激烈的主張，如「郡縣官少年無實學，妄自壓老儒而上之者，則士子譁而退之」，學生顯然也可以影響縣官之進退。

待訪錄對於天子之子的教育，也略有論列，主要意思不外是要使他知道民間之情偽，稍體生活之勞苦，以免生於深宮之中，長於婦人之手，妄自崇大。主張「年至十五，則與大臣之子就學于太學」。此外值得一提的是，待訪錄中主張學官與提學各不相屬，也是寓有抗衡之意，也就是所謂「以其學行名輩相師友也」。再者，人民的生活習俗，「學官定而付之」，或「蒙師相其禮，以革其俗」，至於一邑之名蹟名物，也責成學官主其事，可見學官還負有保護文化遺產及改進風化的責任，設想至為周密。

上面討論的主要是人才的培育，但教育問題除了人才的培育而外，還有任用選拔人才的問題，待訪錄對這點論述相當詳細。選拔任用的原則，取士下說：「寬于取則旡枉才，嚴于用則少倖進」，換句話說，也就是說要做到取無枉才、用無倖進。梨洲認為古代取寬用嚴，今則反是，使得國家不能任用有真才實學的人。他認為嚴于取，則迫使天下人的才智完全耗費在考試上面，這是人力智力的浪費；但是一旦入取而得授官，則無異是終身職，這種寬于用的情形，使得政事日益荒疏。所謂「嚴于取則豪傑之老死邱壑者多矣；寬于用，此在位者多不得其人也」。梨洲提的改革辦法，是除了科舉之法外，另加上薦舉之法、太學之法、辟召之法，其詳細情形或可略而不論，總而言之，目的是在廣開士人進身的門路，使不遺漏人才，梨洲在取士上論及選拔人才的方式時，曾說：「余謂當復墨議古法，使為經義者全寫注疏大全，漢宋諸儒之說一一條具於前，而後申之以已意，亦不必墨守一先生之言；由前則空疏者絀，由後則愚蔽者絀」，這與梨洲的為學態度前後一貫，注重實學，但他又很提倡讀書人必須有獨立的思想，所以一方面對士人要求其有所本，以救空疏之弊，另一方面又要求其有所獨思，以補愚蔽之失，雖然梨洲自謙說：「非謂守此足以得天下之士也，趨天下之士于平實而通經學」，但是平情以論，這種辦法實在是相當理想的，不過創見未必皆出古義，而死守古義者又不易有創見，要兩面兼顧，並非輕易可舉的事。

此外另須加以辨明的，即待訪錄學校篇及取士篇，屢次提到郡縣官、學官、學生的會議，或天子、宰相、六卿、諫議參與太學祭酒之講學，論列施政之缺失，學者遂說：「黃梨洲的理想國家裡沒有國會一類的制度，但他要使學校執行國會的職務[22]」，甚至有人說：「此種設計，若果爾施行，經過長期之發展，則誰曰真正之議會政治不能在

22 胡適〈黃梨洲論學生運動〉，亞東國光版胡適文存第二集卷三第十一—十五頁。

中國歷史上出現乎」[23]？依個人淺見，上述說法皆屬似是而非。代議政治或議會政治之要義，不在於徒然具有會議的形式，如果說有了會議的形式即是議會政治，那麼中國歷代也都有會議之具，何代無之？議會政治之要義在於參與者具有代表性，在於議員代表某一地方、某一階層、某一團體的人民而發言，如果以這個標準來衡量待訪錄中的設計，我們很難看出梨洲有什麼議會政治的觀念，其實他仍然是傾向於賢哲政治的。譚丕模所謂「學校的意義不僅在培養人才，而且要主持公是公非使之成為監督政府的清議機關」[24]，似不失為公允之論。

2　國防

待訪錄建都篇稱：「昔人之治天下也，以治天下為事，不以失天下為事者也」，出語極為沉痛，梨洲有關國防的建議，均以這個觀念為中心。

建都論：梨洲認為明代之所以亡，原因不一，「而建都失算，所以不可救也」，因此他特別注重建都問題，考其所言，建都的要素有二，一是形勢，二是合時，而以人才薈萃經濟富足為條件，二者中又以後者為最重要，因為前者是靜態的，後者則是動態的、與時變異的。梨洲發問道：「有王者起，將復何都？曰金陵」，理由即是因為金陵已成為人才集中經濟富裕的中心，他並設為比喻，以為「舍金陵而勿都，是委僕妾以倉庫匱篋」（建都）。梨洲的建都論，頗為時人所不同意，顧亭林雖以日知錄同於梨洲之論者十之六七，「唯奉春一策，

23 前引高準專著第八十一頁。
24 譚丕模清代思想史綱第十六頁。

必在關中，而秣陵僅足偏方之業，非身歷者不能知也」[25]。

回復方鎮：梨洲一反歷來認為唐亡於方鎮的說法，他以為「唐之所以亡，由方鎮之弱，非由方鎮之強也」（方鎮）。梨洲之所以力主恢復方鎮，學者有謂：「梨洲既深惡秦以後之專制政治，故其論國體，勢必傾向於封建之分治，然封建既不可盡復，梨洲乃折衷於封建與郡縣二者之間，主張行唐代方鎮之制」[26]。不過他之力主恢復方鎮，還有防邊及財政上的考慮。方鎮篇舉出方鎮之利有五，綜合起來說，亦即可收自給自守、事權專一的效果，且不致以一地之亂牽引四方。這種論據，或許可以矯正明代的流弊，「但揆之中國以往之經驗以及近代政治之原理，似其為害反多於利」[27]。梨洲的主要用意，似仍在於反對專制政治。

兵制：待訪錄中討論兵制甚為詳細，其主要精神拿現代的名詞來講，似可稱為徵兵制。兵制一稱：「余以謂天下之兵當取之于口，而天下為兵之養，當取之于戶」，如果實行這種制度，那麼其結果便是「國家無養兵之費則國富，隊伍無老弱之卒則兵強」（兵制一）。準此而論，則這種制度不僅在於達到國防的目的，而且還要達到財政的目的，梨洲的徵兵制勢須與他的方鎮之議兩相配合，至於如何配合，則語焉不詳。其次，梨洲討論軍事時，最為注重將，兵制二稱：「武之所重者將」，換句話說，領導人才較為重要，所以又說：「器甲之精緻犀利用之者人也，人之壯健輕死善擊刺者，用之者將也」（兵制二）。此外梨洲深以文武分途為戒，文武之所以分途，乃是「方自以犬牙交制，使其勢不可為叛」（兵制三），然而「天下有不可叛之人，未嘗有

---

25 明夷待訪錄顧寧人書。

26 前引蕭著第六〇二頁。

27 同前註。

不可叛之法」（兵制三），所以他力主文武合一，「為儒生者，知兵書戰策非我分外，習之，而知其無過高之論。為武夫者，知親上愛民為用武之本，不以麤暴為能」（兵制三）。

3 財政

土地政策：梨洲的土地政策，主張恢復井田制度，首先調查全國戶口，丈量全國土地，然後分配土地給人民，如此一來，則「天下之田自無不足，又何必限田，均田「紛紛而徒為困苦富民之事乎」（田制二）。同時主張以屯田來恢復井田，他說：「世儒於屯田則言可行，於井田則言不可行，是不知二五之為十矣」（田制二）。關於土地稅賦，梨洲主張「重定天下之賦，必當以下下為則，而後合於古法也」（田制一），因為以下下為則，「下下者不困，則天下之勢相安」，否則如果「以上上為則，民焉有不困者乎」？此外梨洲深以稅賦重出多方擾民為病，於是力言稅勿重出（參考田制三）。總而言之，梨洲的土地政策，一是恢復井田之制，二是省賦稅，以下下為則，使民人相安。

財政金融：梨洲認為要使天下安富，必須廢金銀，使錢鈔成為通貨。「當今之世，宛轉湯火之民，即時和年豐無益也，即勸農澤無益也，吾以為非廢金銀不可」（財計一）。梨洲以為「錢幣所以為利也，唯無一時之利，而後有久遠之利」（財計二）。但是鑒於要使錢幣成為通貨，其間困難重重，所以「但講造之之法，不講行之之法，官無本錢，民何以信」？所以他特別說明錢幣「行之之法」，並認為如果依他的方法，何患其不行。不過他的財計之論，不切實際，無須深論[28]。倒是有一點頗堪注意，即梨洲力矯重農輕商的傳統觀念，「世儒不察，以工商為末，妄議抑之，夫工商固聖王之所欲：來商，又使其願出于途者，蓋皆本也」（財計三），其重視工商，由此可見一斑。

4 官制

梨洲討論官制，重點放在宰相、胥吏、奄宦三者，針對明代專制末流之弊，提出改革的方案。

宰相：置相篇開宗明義即說，有明之無善治，自高皇帝罷相始。天下之大，本非一人能治，所以設官分治之，「是官者分身之君也」[29]，也因為如此，所以伊尹、周公可以宰相而攝天子。然而到了後世，為人君者以為「百官之設，所以事我，能事我者，我賢之，不能事我者，我否之」（置相），君臣之職分因此不明。「古者不傳子而傳賢，視其天子之位去留，猶夫宰相也。其後，天子傳子，宰相不傳子，天子之子不皆賢，尚賴宰相傳賢，足相補救，則天子亦不失傳賢之意。宰相既罷，天子之子一不賢，更無與為賢者矣，不亦並傳子之意而失者乎」（置相）？宰相既罷，然而「大權不能無所寄」，於是宰相的職掌遂盡歸宮奴，「故使宮奴有宰相之實者，則罷相之過也」，罷相一事，不僅本身有害，而且與宮奴之取得相權，相互為禍，使得宰相那種「其主亦有所畏而不敢不從也」的作用，喪失殆盡。既已得知其弊，梨洲便提出辦法，即設置「宰相一人參知政事，无常員，每日

28 同前書第六〇五頁。

29 梨洲曾在原臣篇說，官是依其政治關係而與君分治天下，跟父子的自然關係不同此地說「官者分身之君」，當屬措辭不當，梨洲不能辭其咎。

便殿議政」，其職權則與天子「同議可否，天子批紅，天子不能盡，則宰相批之，下六部施行」，此外不必再呈前轉發，以杜絕大權自宮奴出的流弊。宰相設政事堂，並仿照唐張說的辦法，列五房于政事堂之後，五房即吏房、樞機房、兵房、戶房、刑禮房。

胥吏與奄宦：梨洲認為胥吏有四害，其中最大者為弄法與據位兩端，結果造成天下有吏之法，無朝廷之法」，「天下無封建之國，有封建之吏」（胥吏）。梨洲主張胥吏皆用士人，那麼一切弊病即可掃除，並相信他的方法是在「使曹掾得其實，吏胥去其重而已」，其實梨洲未免把解決辦法看得太簡單了，似流於不切實際。梨洲認為奄宦之出實源於「人主之多欲」，但為害甚烈，「使人主之天下不過此禁城數里之內，皆奄宦為之也」（奄宦上）。自從任奄人為內臣、士大夫為外臣以後，由於奄人以奴婢之道事其主，人主遂亦自以為是，轉而使得人臣也以奴婢之道事其主，「豈知一世之人心學術為奴婢之歸者，皆奄宦為之也」，奄宦之害，極為顯然，況且奄人「不貴其能治，而貴其能不亂」（奄宦下），但人數一旦眾多，則甚為可懼。所以梨洲主張「三宮以外，一切當罷」，使其人數不過幾十人而已，人數一少，其為害作禍的力量自然減少，奄宦之病也就可以避免了，梨洲論胥吏與胥宦，雖知其出於人性的弱點，但沒有從這方面加以防止，同時未能認識到這兩種權力團體的成長特性，因此他提的解決之道，似難如其所願。

四　結語

待訪錄中影響後來最大的，是它那「天下為主君為客」的民本思想，以及它猛烈抨擊專制政治的激烈言論，對專制政治提出了大膽的反抗。雖然這樣，但它的立論仍然不脫君主政體的範圍[30]，所以梨洲之抨擊君主制度，表面雖似激烈，其實側重在革除其缺點，使這一制度，更值人民之擁護[31]。此外他舉臣權以對抗君權，雖然是我國古代政治思想得未曾有之論，見識超卓，然而並未能提出切實可行的辦法，以保證臣權之能對抗君權[32]。有的學者說，梨洲所擬之政制，有似於現代內閣制之精神[33]，然而內閣制的精神在以元首為虛位，由內閣握行政的大權，梨洲之意非但沒有虛君思想，且欲使其負重大之責任[34]。因此所謂待訪錄「原君原臣諸篇，發明民主主義，已為近人傳誦」[35]，或說它「的確含有民主主義的精神」[36]，這類議論，實際上沒有認清民主的本義，「把民本主義直接算做民主主義，不是曲解，便是誤解」[37]。準此以論，則黃梨洲的激進思想，「與其說是民主思想的創立，無寧說是民本思想的修正」[38]。

待訪錄中間或出現平等思想，但也只是偶而見之，某些地方則有優門第的主張。梨洲雖亦重視個人獨創的思想，但在學校篇卻又大發言論檢查的議論，這些不能不說是待訪錄不一貫的地方。

此外，待訪錄最引起物議的，莫過於其序言中所說：「吾雖老矣，

---

30 前引蕭著第六〇〇頁。

31 前引高準專著第五十八頁。

32 曾繁康中國政治思想史第三八九頁。

33 楊幼炯中國政治思想史第二八八頁。

34 前引高準專著第七十三頁。

35 前引錢著第三十四頁。

36 梁啟超中國近代三百年學術史第四十七頁。

37 服部宇之吉〈儒教與民主主義〉，收入儒教與現代思潮，本段引自中譯本第十八頁。

38 陳顧遠〈中國政制史上的民本思想〉，收入中國文化與中國法系，本段引自該書第一六〇頁。誤以民本為民主，似為一般人的通病，而其間又暗中以民主高於民本或民主為新民本為舊，由是為提高民本思想遂以民主名之，這種比附其實是不必要的。

如箕子之見訪，或庶幾焉，豈因夷之初旦，明而未融，遂秘其言也」。章太炎譏詆梨洲華夷不分，梁啟超為他解說，則並所舉之時間與事實皆不符，錢穆則以其處境艱難為之說項[39]，故意為古人設想。其實「待訪」二字已說出作者寄希望於未來，何況政治思想家的著作，常為其理想國家的描述，有應然之處，有實然之處。

我國古代的政治思想，在政治清明、社會安定的時候，思想多偏於現政權的擁護。在社會混亂、政治黑暗時，反動思想就起而抨擊現政權。但是擁護也好，抨擊也好，無一能夠獨創一種學說，所以縱然是反動思想，也有一定的程度，其程度是受古人思想的拘束。要想脫掉古人思想的拘束，必須有外來的思想做為參考與刺激。如果沒有外來思想的衝擊，不論是如何偉大的學者，也難以擺脫古人思想的窠臼[40]。

我們認為，明夷待訪錄只是對專制政治加以反抗的沉痛呼聲，其言論之激烈，正反映了明代專制末流之弊。但是在清朝的統治力量鞏固以後，再加上清初的幾次文字獄，使黃梨洲的政治思想逐漸失去影響力，倒是在史學方面影響後來極大。直到滿清末造，提倡民權，他的思想又告出現，然而它對我國民主政治發展的貢獻，只有推波助瀾之力，並沒有聚土成城之功。

——《中華文化復興月刊》第五卷第十二期（1972年12月）

39 參考梁啟超、錢穆各自所著中國近三百年學術史有關黃梨洲的部分。
40 薩孟武中國政治思想史第四二〇頁。

為國民黨謀　藏人才於天下

自從退處臺灣以後，國民黨的政治定位便發生了極大的變化。但數十年來的經驗顯示，國民黨本身似乎迄未就它的定位問題，取得平衡而適當的調整。此所以始終存有究係民主政黨或革命政黨的疑惑。當然，最巧妙的說法就是自認為是一個革命民主政黨，合一爐而冶之，左右逢源。

就整個大中國而論，自一九四九年以後，國民黨乃是在野黨；但就它有效統治的臺澎金馬地區而言，國民黨卻一直是當權執政的在朝政黨。正因為這種角色的雙重性，使得它於行事時經常產生角色混淆的現象。

相對於中共政權而言，國民黨應當是一個致力向中共爭奪全中國政權的政黨，亦即處於「攻」的地位，但卻又囿於本身在臺灣執政的角色，反而恆常以「守」為應付的基本方針。軍事上如此，這或許可以說迫於客觀形勢不得不然，但在政治、經濟與文化事務，特別在外交戰場上，也向來處於被動保守的地位。另一方面，就臺灣本土的政治發展而言，面對反對勢力要求民主與改革的呼聲，竟又不時祭起「革命」政黨的大旗與身段，儘可能予以壓抑，甚至主動出擊。換句話說，在該「攻」的地方反而去「守」，當「守」的時候卻又忍不住要「攻」。韋玉華先生曾以「革命無膽，民主無量」描述國民黨的處境，可謂相當生動。

由於受到上述格局的拘束，雖然當局長期強調人才的重要與培養，但查驗幾十年來的成果，卻頗有一些令人不甚滿意並且值得檢討的地方，謹就管見所及略加申論。

一、祕書出身的高官比例太多。在國民黨的體制下，政治權力的取得未必純粹出於選民的授與，透過「接近權力中心」而臻達的例證不少。早期蔣中正之接近孫中山，以及日後謹慎維護的「革命傳人」與「革命正統」的形象，幾已成為政治接班的心法。而論及接近，祕書可是相當有利的一種途徑。遲至晚近，情況似乎沒有太大的改善。拿最近幾任行政院長為例，俞國華與李煥，就是相當典型的「祕書型」人才，現任的郝柏村雖然出身軍旅，但也擔任過祕書性質的總統府侍衛長。至於部長級的人物，祕書出身者為數更多，尤其以外交和新聞行政的主持人為然。

人才當然不必太論其出身職位，但出身職位卻也會塑造個人從政的風格。由於工作環境使然，祕書型的人往往以主官的意志為意志，等而下之者則流於揣摩上意以為承歡之本。臺灣政壇大臣少而官僚多，最高當局手下的重要幹部，泰半行政能力可而政策建樹弱，勇於秉承當局旨意而怯於肩負政治責任。蔣經國總統時代，公務員春節放假幾天，還得上達總統予以裁示，談什麼政治擔當？

二、未經民意揀選的知識階層偏高。知識份子在近代社會佔有一個頗為特殊的地位。一方面他可能是社會的領導者，但在另一方面也可能是既存社會秩序的破壞者與革命家。先進的西方國家，對於具有抗議精神和改造社會意圖的知識份子，往往頒給他諾貝爾獎，但在本國又依當時法規將他關進監獄，英國哲學家羅素、美國民權領袖金恩牧師，皆屬此例。大體上，知識份子對於執政當局而言，始終是一個愛恨交加的頭痛問題。

從意識形態的光譜來看，三民主義具有相當濃厚的社會主義色彩，國民黨基本上應該屬於中間偏左的政黨。近代社會的知識界有左傾的趨向，國民黨早期確實能夠吸引知識份子。但三民主義理論建構的水平不夠精微，缺乏知識探求的震撼力，國民黨於實踐上更是常常受到現實環境的限制，左的傾向因此獲得相當程度的矯正，如與共產黨一比，則後者當然顯得更左，這多少可以說明何以後來在引導知識份子的工作上，國民黨逐漸處於劣勢而最後敗給共產黨。同理，對於學生運動，國民黨大都不能以平常心看待，過敏的反應不時出現。

就因為有這種缺失，但知識份子又非得掌握不可，至少要讓他減少不利的影響，於是國民黨應付知識階層的政策便以爭取和籠絡為主，藉以獲得其認同。賞以美名，爵以高官。中華民國政府內閣閣員學歷之高，恐怕足可傲視全球，可惜的是其中絕大多數沒有經過民意的揀選。近年來，臺灣政治更朝民主化的途程邁進，各級民意代表的選舉次數增多，而觀察國民黨所推出的候選人，除了實力派包括財力雄厚者外，凡屬所謂「形象牌」者，說穿了無非就是高學歷尤其外國學位，若再擁有顯赫的家世，則更是如虎添翼。

三、人材受重用的時間太長。政府退守臺灣的早期，俞大維初任國防部長那一階段，內閣閣員平均年齡僅只五十歲，比目前郝內閣的平均年齡還輕。蔣經國主政時再三呼籲起用青年才俊，效果何以如此不彰？其實，國民黨政權最照顧所用人才，任職期間長，退職後還得千方百計安排出路，偶爾且澤及第二、三代。照顧過度的惡果，民意代表方面造成萬年代表，最後被社會大眾罵為「老賊」；政務官方面則是安排一有失當，就認為黨對不起他，進而演成政潮。

論任期之長，自以蔣介石為特例，姑且不談。其他政務官久任其位者也多得很。俞大維任國防部長超過十年；沈昌煥四十五歲當上外交部長，出使泰國後回任外交部長，兩任合計將近十年，最後從總統府祕書長任內退休，已經是七十餘歲的人了；葉公超雖因外蒙入聯合國案丟掉駐美大使，在此之前已出任外交部長，之後仍久任政務委員直到七十好幾。目前閣員中已有遊走不同部會資歷者，為數亦不在少。一個人位居要津以後，可以長佔各種重要職位三十年，這種情況

在世界各國之間恐怕也名列前茅。當今政壇紅人如宋楚瑜、馬英九等人，四十歲不到即擔任近乎閣員的職位，如果他們無意離開公職，則依往例也是非到六、七十歲不會脫身。「青年才俊」多麼容易變成「老年才俊」！

任期過長的弊病很多，從造就人才的角度來看，一是使人才的範圍縮小，老是在一群人當中搬動位置；二是變相剝奪了其他才智相近者的歷練機會；三是很可能造成這一群菁英與客觀現實脫節，在施政上以言守成尚可，論及應變則有所不逮。

四、缺乏向對手或敵人學習的氣度與能力。國共對峙數十年，雙方高層人士間亦有立場改變的事例。雖說國民黨對待投誠人員一般比共產黨寬厚仁道，但國民黨投共的高官如傅作義，多少還有做事的機會，共產黨反正的要角如張國燾，卻只能投閒置散，這說明了國民黨似乎欠缺向敵人學習的肚量及能力。國民黨反共的歷史相當悠久，立場極稱堅定，但卻未能藉敵之力以制敵，不能將敵方的人才收為己用，一言以蔽之，豐碩的反共經驗遠不足以轉化成勝共的策略。

最近幾年，世人目擊共產主義的狂潮正在退卻，東歐和蘇聯的共產政權相繼垮臺，誰也不能否認美國的潛在影響力確實發揮了推波助瀾的作用。而國人卻一向批評美國反共經驗不夠易為共黨所乘，今後中共若能和平演變也以美國最有可能發揮影響，反省起來豈不令國人汗顏？直到今天，如果我們問臺北的黨政大員：你們曾否向對手民進黨學習過？可能大都會瞠目以對。

上述幾項檢討，並不是指責國民黨一無是處。事實上，國民黨絕非沒有人才，否則以臺灣一島的軍民，對抗家大業大的中共數十年，不僅未見其敗，反而愈來愈興旺，如何可能？以一個失去大陸江山的政權，仍能繼續在聯合國代表中國二十餘年，談何容易？中共建政三十年後，美國才正式予以外交承認，遠比蘇聯共產革命成功後美國拖延承認的時間為長，豈是偶然？臺灣四十多年來舉世欣羡的經濟成長，連同尚未受到應有的重視之政治發展，憑藉的又是什麼？政治人才固然不是唯一的決定因素，但至少國民黨所提供的人才資源及其器識才具，必須足以副之，方有可能。

話說回來，國民黨的缺失也多得很，否則怎麼會丟掉大陸？其失敗的範圍如此之廣，陷入的泥淖如此之深，何以致之？熟令致之？往者已矣。雖說臺灣與大陸之間具有血濃於水的民族大義為張本，但在引導大陸邁向政治開放的大業上，似乎未能恰當地有所發揮，這總是值得痛切反省的。

政經事務由於涉及的是最不可捉摸的人心與行為，採取「是什麼」的肯定方式來探討，嚴格講，很難合乎客觀的科學標準。反倒是從「不是什麼」的方式而為之，有時較為切題而點出癥結所在，更能彰顯「應該如何」的途徑。本文的檢討雖嫌粗淺，旨趣則寓於此處，但願對關心此事的各界人士，在思考問題時略有幫助。

近聞國民黨有意召開十四全大會，考慮設置副主席一至三人，以培養黨內領導人才云。現代的教育實踐已呈現訓練重於教育的偏差，因此總是過分相信人才是可以培養的，而抹殺了人才自我生長的生機與重要性。古語說「十年樹木，百年樹人」，姑不論時間的估計準確與否，但至少說明了人才自我生長的特性。太過於注重培養的一面，結果可能產生當權的組織勢力壟斷人才的現象，這對社會的健全發展而言，終究是不利的。藏人才於天下才是正道，政黨所宜致力的乃是如何吸收人才以為我用。孟子說：「待文王而後興者，凡民也。」從這個角度來理解，或許更能扣住民主社會的時代脈動。

晚近的世局多變，波瀾壯闊，但多變的世局卻明白地指出了一個總趨向，亦即凡以革命自居的政黨與政權，類多遭遇慘痛的挫敗，殘存的少數也非求變不足以圖存。顯然，民主化才是當代最富於革命性的潮流。深入一層看，民主才是真正的革命。換句話說，革命與民主並非沒有接筍與統一之處。國民黨過去壓抑反對勢力，在當時危急存亡的局面下，或許是保障政權生命而不得不採行的必要之惡，但實際上卻不可能成為向極權體制拓展民主並進而使它瓦解的有效手段。凡是具有歷史眼光的政治人物與政黨，均應接受及體會這個珍貴的教訓。

為國民黨計，與其堅持「革命民主政黨」，何如順勢轉化成「民主革命政黨」，國人幸何如之。

附註：文中提到不少人名，純係為了說明現象，並無褒貶之義，雖則名人一樣可以月旦品評。

——《美國世界日報》，1992年3月25日

對統一和分裂的辯證思考

事實真相有時令人難以接受，而且很傷感情，英文有Truth hurts一語，頗能道出個中三昧。馬克吐溫說過：「首先取得事實，然後你便可以任你高興儘量加以歪曲。」話雖俏皮，卻也說明了即使「歪曲事實」，總得先有事實，而且已經得知事實，方可加以歪曲，否則只是造謠或無中生有而已。然而，像這樣一個簡單的原則，如果拿來應用到政治討論上，非常不幸地，竟然少有人能夠遵守。個人如此，政府亦然。

李登輝總統與日本作家司馬遼太郎的談話，提到在廿二歲以前，他是日本國民。這本是合乎歷史事實的單純敘述，事後引起的反應，有許多卻是何其情緒化！同樣的，李總統確實說過只做一任即有意退休的話，且見之於白紙黑字的新聞報導，不久前國民黨的高幹卻以從未聽李總統說過「不競選」為由，想把前面的事實沖銷掉！論及臺灣海峽兩岸的問題，直到今天，北京的中共政權，仍然不肯正視中華民國自成立以來存在至今的事實，總是千方百計故意漠視或假裝它不存在。這對解決兩岸間的問題，又有多少幫助可言？以下試著儘量秉持尊重基本事實的原則，提出如次的觀察：

一　在中國歷史上，統一與分裂均為常態

公元前二二一年，在秦朝的主導下，中國完成了政治上的統一，史學家黃仁宇稱之為「早熟的統一」。大體上講，國人往往即以統一

為常情，分裂為變態。縱使長期分裂，在後人的歷史認知中，仍以為人心有統一的要求；而流亡的政權，至少口頭上屢以統一為號召。但在事實上，照魏鏞於一九九二年元月發表的研究統計，自西周起至一九九二年止共三一一三年：統一的年代為一九六四年，佔全部年代百分之六三點一；分裂的年代為一一四九年，佔百分之三六點九。「但如果把各個朝代初期及末期群雄並起的年代加入分裂時期來計算，則中國歷史上統一與分裂時期幾乎各佔一半左右。」即使從嚴，在三千餘年中占百分之三六點九的分裂分治，已經很難說是變態；從寬以觀，統一與分裂既然各半，則合理的結論當是：統一與分裂都可以說是常態。

當然，在中國近代史上，有列強瓜分的威脅，俄帝、日本的侵略，於國勢日衰的局面下，內部又有軍閥割據與國共對抗，從而把國家統一當做愛國教育的主軸，其結果是一般人視統一為「當然價值」，相信統一必然是好的，分裂必然是不好的。拿來與歷史的實際情境相對照，卻又不盡然。就普通人生活上的優劣而論，統一與分裂何者為佳，並無必然的關係。南宋國勢不強，以今天所認定的統一標準來看，並未一統中國，但老百姓的生活卻相當富足，文化與商業皆頗興盛。統一未必代表一般人生活較佳，分裂未必代表一般人生活較差。

二　分裂是自然的，統一是人為的

這一觀念，主要是借重自國際政治上有關和平與戰爭的研究。芝加哥大學的昆西、萊特教授，可能是本世紀對戰爭最有研究的學者之一，早於四〇年代就出版《戰爭研究》一巨冊，其中有一項結論稱：「戰爭是自然的，和平是人為的。」把這個觀念應用到海峽兩岸的關係，當不無啟發。

臺灣的主要居民閩南人與客家人，以及追隨國民政府撤退來臺的軍民，均屬漢人族裔，與中原的漢人確有血緣、文化與風習的傳承關係。但臺灣在地理上由於一水之隔，的確自立於神州大陸之外，高立夫稱之為「海島中國」，不為無因。自一八九五年春帆樓馬關條約簽訂之後，日本治臺五十又半年。光復後從民國卅四年到卅八年，臺灣與大陸在政治上結為一體。但自蔣中正總統在臺正式視事，兩岸從此分屬於不同的政權所管轄。主張臺灣獨立的人士，喜歡強調說，近百年來，臺灣與大陸的直接關係只有四年，則又不免太過於簡化。但總體上說來，經過近百年各自走上不同的歷史道路與發展方向，其結果可以說兩岸之間「分裂是自然的，統一是人為的。」

必須陳明一點，「自然的」與「人為的」在此並不強調其價值意含，亦即自然的不一定比人為的好，同理人為的也不一定比自然的為佳，重點在於指陳海峽兩岸事態的性質。不論你是主張統一或是傾向獨立，對這個現象都不應該忽視。假定「分裂是自然的，統一是人為的」這個基本觀察距離實相不遠，則又不能不指出：「人為的」其實需要更多心力、耐性與智慧。目前的問題就在於，主張統一的政權和個人，往往使用「自然的」訴求做為主要的理論根據，甚至以此做為推行統一的主要手段，例如一再突顯民族情感、血濃於水等等，其實是昧於事理，成效當然有限。

三　中華文化足以做為統一的基礎嗎

中華民國政府向來以中華文化的正統繼承者自居。而今年春節前夕，中華人民共和國江澤民主席發表的「江八點」，其中第六點特別

提到中華文化「始終是維繫全體中國人的精神紐帶，也是實現和平統一的一個重要基礎。」四月八日李登輝總統的「李六點」，其中第二點就是「以中華文化為基礎，加強兩岸交流」，誠然是一個善意的回應：以中華文化做為統一的基礎，似已成為兩岸政權和一般國人的共識。

然而，如果進一步追問：到底是以誰的中華文化來當基礎？或者更深入一層去問：有獨立於兩岸體制之外的中華文化嗎？如有，如何認定？

大家都知道，中共政權的基本價值觀，源自中國近代的激烈反傳統心態。從李大釗到當今的鄧小平，無不對中華文化有所敵視。政權建立後幾十年來的施政，對中華文化的摧殘多於建樹，且透過教育體制影響了神州大陸億萬人的心態與精神，此所以海外有不少傑出的人文學者憂心忡忡地認為，光是清除中國大陸知識份子在這方面所受的心靈汙染，恐怕非花幾十年不為功！除汙都如此困難，還能過度樂觀地認為憑抽象的「中華文化」即可有助於統一？

如果中華文化在近代真的具有這麼堅強的凝聚力，神州大陸又怎麼會共產化呢？不過幾十年的時間，原本近乎不堪一擊、花果飄零的文化，即刻又成為人類有史以來最大的政治、經濟、社會與文化統一工程的發動機，莫非文化也是速食麵！

四　自大與自卑之間

西元一八四〇年爆發的中英鴉片戰爭，打破了中國人的天朝地位。在船堅砲利的威逼下，中國被迫加入了近代國際政治的體系。從宏觀的角度言，這一百五十餘年始終是在適應這個以西方為主的體系。而其適應方式，若把它予以高度概括化，則可以說是在自大與自卑的兩極之間搖擺。清朝自大的時候，可以向全世界宣戰；毛澤東自大的時候，可以公開聲稱「十五年超英趕美」，可以不顧基本的科學常識，舉國「土法鍊鋼」；臺灣的政府官員自大的時候，一再大言不慚地說，五千年來的中國人，以現在臺灣的生活最好！

大致說來，自大常常是對自己人自大，自卑卻是對外國自卑。以此，朝野上下的普遍心態偏向自大時，比較容易造成悲劇，因為對象是自己人。相形之下，就國家社會的發展而言，自卑促成自我反省，反而使社會向前進步。這個現象值得注意，也發人深省。

在沒有能力統一之前，侈言統一；於條件不足以獨立時，妄圖獨立；是不是自大的再次展現呢？

五　廿一世紀是中國人的世紀嗎

中國近代國勢日趨衰頹，對外關係屈辱多光榮少，因此知識份子懷有濃厚的感時憂國精神，追求國家富強的心理欲求至為強烈。類似「廿一世紀是中國人的世紀」這種說法，當然滿足了許許多多人的盼望。前行政院長郝柏村，在一九九三年六月參加芝加哥北美華人學術研討會發表主題演講，題目就叫「廿一世紀應該是中國人的世紀」。

為什麼廿一世紀就「應該」是中國人的世紀？冷戰結束了，美國成為唯一的超級強國，而在廿世紀美國享有名副其實的領導地位不過五十餘年，它所代表的基本價值觀念、民主制度及市場經濟，顯然仍將是廿一世紀絕大多數國家戮力以求的目標，如果說廿一世紀是民主與自由的世紀，稱之為美國世紀豈不更相符？甚至也不妨這麼一問，為什麼廿一世紀就不該是印度的世紀？相信印度人盼望這一天並不會比中國人更短。國人老愛炫耀中國人多達十二億，佔全球人口總數百分之廿二左右，卻從不去正視此一事實，印度、巴基斯坦和孟加拉及周邊國家的人口總合，與中國相差並不太多，更何況人多常常使問題更嚴重而複雜，人多不足以代表一個世紀。

當然，臺灣、香港、新加坡幾十年來的經濟成就，加上一九七八年以後鄧小平在大陸施行的改革開放，十幾年經濟成長頗為可觀，提高了各界對中國國力的評估。目前流行所謂「大中華經濟圈」的說法，若能成形且運作良善，中華經濟將是世界第一大經濟體，鄭竹園教授認為到了廿一世紀中期，將成為「中國人主導的新世局」。針對這些說法，且引下面這一段話來提神醒腦：「中國人殺了多少人也沒有人記住，希特勒殺猶太人幾十年了西方人都沒忘記，中國人反正沒殺到我家的心態很可怕，顯示文化上有很大的問題，殘忍、自私、冷漠、沒同情心、沒有人道，因此對於廿一世紀是中國人的世紀的說法很令人懷疑。光發財那麼容易就擁有一個世紀了嗎？對人類文明有沒有貢獻？光發財有用嗎？何況是不擇手段、損人利己的發財，文化上天天在墮落，若廿一世紀成為領袖，那麼世界變成什麼？」

這等於是說：目前這個樣子的中國人，竟也成為廿一世紀的領袖，人間還有公道嗎？各位，這段話是，中央研究院院士余英時先生說的。

很少人會專門與自己的民族和文化過意不去，因為在成長的過程中，多少已將所傳承文化的精神內化了。當然更不是「痛詆中國」（China bashing）。只是希望藉事實來冷靜一下有時難免發昏的頭腦，了解自身的缺陷與限制，也許努力的方向會更具體、前進的步子會更踏實。

——《美國世界日報》，1995年11月1日

《神州怨》，向誰訴？

《時代週刊》推薦一九九六年度最佳書籍，非小說類有五本，第三本是黃明珍寫的《神州怨》（*Red China Blues*）。（見該刊一九九六年十二月廿三日第八六頁）每年出版的書成千累萬，能夠得到這一殊榮，非常不容易。紐約時報名記者包德甫，當過作者黃明珍的上司，他認為這本書將是關心中國的人「非讀不可的經典」。包德甫的慧眼，如今添上時代週刊的薦舉，更加有分量了。

西方新聞界與藝文界所寫有關中國的著作，為數並不少。早期如艾德加．史諾的《紅星照耀中國》（一九三八）、《西行漫記》，西奧多．懷特（白修德）與安納利．賈克比合撰的《中國的雷霆》（一九四六），以及韓素英的許多作品均曾暢銷一時，影響西方人士對中國的認識，至深且鉅，而且都是有利於中共，不利於國民政府。他們大都把中國國民黨描述成專制、腐化、暮氣沈沈而毫無前途可言；中國共產黨則是接近農民、生機蓬勃、充滿改革的銳氣。光明與黑暗的對比，一目瞭然。這種趨勢，延續了相當一段時間。

然而，一場驚天動地、慘絕古今的文化大革命，終止了這個偏共的傾向。比利時漢學家皮耶．李克曼（筆名塞門．列斯）首先發難，他於一九七四年以法文發表《中國的陰影》小冊子，三年後刊行英文版。本著他對中國文化與藝術的熱愛，基於義憤，戳破共產中國的美麗幻象，當時還頗不為西方學術文化界所諒解。

一九八二年，時代週刊駐北京記者白禮博出版《來自地心》，紐約時報駐北京特派員包德甫刊行《苦海餘生》，同一年內，有兩部揭穿中國大陸真相的英文著作問世，西方新聞界終於回到正軌，此後要再一面倒地「禮遇」、「偏愛」中國大陸，便不那麼容易取信世人了。晚近紐約時報前駐北京記者紀思道、伍潔芳夫婦合著《驚蟄‧中國》一書，則於披露中還夾帶許多反省，別有一番意味。

《神州怨》之所以能在一系列類似的著作中，脫穎而出，是有它的道理的。作者黃明珍女士是第三代加拿大華裔，出生在頗稱富裕的家庭，父親於多倫多地區連鎖經營好幾家餐館，曾任當地華人餐館協會的主席。就像不少越戰後期的青年一樣，作者進入當地著名的麥吉爾大學以後，卻成了激進的左派學生，「我不相信任何年過三十的人，也無從想像自己有一天會變得那麼老。我不刮腿毛或腋毛。我讀法蘭茲‧范農、艾德里茲‧克利佛和貝蒂‧佛里旦的作品，吸收沙特與狄波娃的思想，與世俗疏離而自得其樂。……頭髮中分……學陶藝，聽瓊恩‧拜茲和巴比‧狄倫的歌曲。」（原書第十五頁）

極左毛派分子的心路歷程

雖然認不了幾個漢字，幾乎完全不會講普通話，但這位前進的極左毛派分子，卻一心想尋根。她終於在一九七二年，帶著滿懷的憧憬與理想回歸祖國。當時，黃明珍和已故中央研究院院士任之恭的女兒，是僅有的從北美前赴大陸的兩名留學生，為了她們的學業問題，北京大學校長周培源和周恩來總理，均曾親自介入，可見其受重視的程度。這次住到一九七三年八月底，才離開大陸返回加拿大。一九七四年五月，完成麥吉爾大學歷史系學業，是年秋天再度前往大陸，入北大歷史系就讀。黃明珍這時期的生活，完全是一派毛主席忠實信徒的作風，文化大革命仍在進行，講究「開門辦學」，大學生進工廠勞動，下放農村挑糞幹活，她跟別的中國學生一樣，全程參與，並且主觀地刻意融入其中，後來還領有北大的文憑。

當時，有一位北大同學向她透露有意留學外國；另外北大一位教授和他的夫人，想把十五歲的女兒送到國外，特意花了不少的錢請黃明珍上館子，希望她能幫忙，滿腦子「革命思想」的她，竟把這些情況據實上報黨組織。事後追憶，她悔恨不已，認為這種害人的告密行為，是她一生最可恥的汙點！

她的結婚對象，乃是逃避越戰兵役第一位向中共尋求庇護的美國人。為了提升新聞工作的品質，黃明珍曾經就讀哥倫比亞大學新聞學院，取得碩士學位。她做過包德甫的助理。最後更自立門戶，從一九八八年至一九九四年，擔任多倫多環球郵報駐北京特派員，手下有助理、司機、廚子和奶媽，對某些人而言，她真正成了典型的Limousine leftist（坐大房車的左派）！然而，她的行文運筆，依舊保有激進分子的尖刻、辛辣和百無禁忌！當然，還有俏皮。

黃明珍熟知毛主席的著作，的確是一位挺夠格的毛派分子。隨時可以針對中國的具體現實狀況，引用毛語錄，或印證，或反諷，或別有所指，自嘲與嘲毛，都很貼切。由於她的北大背景，對中國社會有深入基層的理解，外貌上與當地人無異，這些條件，使得她在大陸從事新聞採訪工作，得心應手，如虎添翼，比起其他一望而知是洋人的外國記者，自是佔盡便宜。她與名作家於黎華之女孫曉凡聯袂探訪中國大陸各地，設法突破中共政權無理設定的種種禁區，深入許多中國社會陰暗詭秘的地方，例如大陸上的鴉片煙館等，更是精采刺激。

黃與孫曾赴武漢訪問專做男性陰莖加長手術的龍大夫，採訪一位原本短短一寸，手術後增為三點七英寸長的病人，醫生和病人都笑逐顏開，這時作者加了一句：「現在這可真正是中國的重建！」（三六〇頁）再如書中提到一胎化以後，大陸上絕大部分兒童成為「小皇帝」，父母加上四位祖父母隨侍在旁，長大以後均為「個人主義者」，「到時

中國就會有民主。」（三八三至三八四頁）書中類似這種冷幽默而挺逗趣的筆調，隨處可見。

但是，作者也有她的限制。黃明珍的中文不賴，在「前言」部分，把毛澤東嫡孫毛新宇譯為New World Mao，既符中文本意，而又暗指英國大小說家赫胥黎的名著*Brave New World*（中譯《美麗新世界》，描述極權烏托邦的荒謬），可稱別具隻眼。但她懷頭胎小孩時，上北京的醫院看產科醫師，醫生說她的「骨盆」太小，當時她卻聽不懂「骨盆」是什麼！或許有人會笑稱，黃明珍讀北大時，大部分時間花在鄉下農場「繡地球」，那有功夫好好學中國語文！不過，學問淵博的西方漢學家，也曾把「打赤腳」的腳誤會為「紅色的腳」。她是華裔加拿大人這個事實才是真正的因素，同時也是她的侷限。

《神州怨》透過作者個人的豐富經歷，特別是一名激進毛派份子心路歷程的演變，呈現出中國大陸共產體制的實況，進而對之有所反思。但這部書絕非只是流水帳式的記錄，也不是新聞記者採訪印象之總和，西方記者的作品大多不脫此一範疇；而是作者消化、反省而後加以設計，從而產生的某種有機性構成。由此書的整個綱目，可以見出。除了篇幅甚短的前言與後語外，這部書分成四大部分：一、愚人的天堂。二、天堂裡的麻煩。三、天堂已失落。四、天堂失而復得？

最荒謬的謠傳竟是眞的

這個「天堂」，當然指的就是中國，共產中國。書中對這個「天堂」的描述，範圍極廣，從通都大邑到窮鄉僻壤，由人民大會堂的國家慶典至勞改營；訪問吸毒的人，也會晤退職的大將軍，聽「美國之音」廣播，私下反對中南海對天安門學生示威的處理方式！作者不時進行調查報導，親身進入半打監獄，也去執行死刑的刑場。三番兩次的調查結果，使她感慨系之地嘆道：「令我極感失望，最荒誕的謠傳，結果竟是真的！」

作者受過嚴謹的新聞訓練，於敘述某些現象時，除了中共官方的資料外，也採納其他統計以資核對比較。例如，談到監獄人犯，中共官方宣稱在獄人犯為一百廿六萬人，平均每一千公民有一人入獄，這個比率與歐洲國家相同；但國際特赦組織和吳弘達的估計，則為二千萬人，每一千公民中有十六至十七人在獄，這一比率則是世界最高的！大陸每年處死約七萬人，清朝時代一年處死者才數百人，中國人口佔全球百分之廿二，但執行死刑而亡者佔全球百分之六十三，為世界第一！死刑何以如此之多？書中指出，有些傳言稱係因重要人物急需人體器官，受移植者以高層黨政要員為主云云。遲至一九九一年，還有向死囚家人索取子彈費之事。黃明珍見過由當地警察局開出的收據，上書「子彈費五十分。」（合美金六分）（三〇八至三一六頁）

當然，書中最引人注意，可能也是最具歷史價值的部分，應屬對一九八九年天安門事件的記錄和敘述。作者自己承認，在天安門學生示威運動之前，她有點看不起大陸的異議人士如任畹町等，認為這些人是過時的人物，起不了什麼作用。八九年學運掀起，她的印象為之改觀。於是親自訪問許多民主運動要角，也到現場去採訪比如學生絕食示威的情形，她的說法是絕食學生仍有進用部分食物，這些均不無參考價值。

六四慘案的歷史見證者

更可貴的，則是六月三日深夜到六月四日凌晨，作者是歷史現場

的目擊證人與記錄者，先是在天安門廣場，後來退到北京飯店十四樓陽台上觀察，並且做詳細記錄。時間以幾點幾分甚至幾秒記錄之。群眾如何向那一個方向流動；學生有人想丟莫洛托夫炸彈；幾點鐘廣場燈光完全關掉；軍隊總共出動多少卡車，據她估算在五百輛以上；群眾逃生時，一波來一波去，方向經常改變；解放軍如何對著群眾背後放槍；晨六時四十七分，軍隊完全奪回天安門廣場，廣播中止；對於事件的經過，作者與助手均詳細點算記錄。（詳見第十四章）今後中國人要寫這一段痛史，恐怕非參考黃明珍這本《神州怨》不可！

書中還有一段極其動人的描述。派駐北京的各國記者，因為目擊天安門事件，而忙著採訪做紀錄，長期未能進食。大家湧向旅館樓下想吃早餐，飯店的廚子太過於傷心無法做菜，這時有一兩位記者按捺不住吼叫起來，廚子出來淚流滿面地說：昨天晚上，我看到太多人被殺！他顫抖的手扶著門鎖把柄。此時，人人都面有愧色瞧著地面。一位女侍打破沈默說：「我們都是中國人，我們愛我們的國家！」這時每個人互相致歉。最後，廚師定過神來宣佈：他要做早餐給記者們吃，因為「你們會告訴全世界發生了什麼。」（二五八至二五九頁）作者接著寫道：「屠殺的慘烈，懾人心神。被殺的人這麼多。雖然許多年來，我早已不再是一名毛派份子，我對中國仍然懷有些許的期望。如今，連這一絲期望也完了。女侍送來裝有土司與炒蛋的盤子時，我呆坐在那兒哭泣。沒有一位記者能吞下一口東西。」

在天安門屠殺發生前，作者認為學生方面已決定要離開廣場，多數同學已返回校園。任何一位客觀中立的觀察者應該可以看出，示威抗議已走下坡。中共當局為什麼不讓炎熱的天氣，就將衰竭的士氣，使它歸於平靜呢？為什麼北京要發動全面的軍事攻擊？用的是反飛機的槍炮坦克，射的是力足洞穿裝甲車的子彈！據作者事後的分析，天安門事件還是老式權力鬥爭的一套。示威發展到後來，一定令鄧小平憶起文革最惡劣的日子，他深信，進一步自由化，必將削弱共產黨以及他本人所掌握的權力。趙紫陽則仍堅持鄧原來的主張：亦即馬克斯主義的教條，綁住了利潤動機，如果不改革，共產黨非敗不可。但鄧要的是一位唯唯諾諾的人，鄧決定派軍隊鎮壓學生時，政治局內趙是唯一反對的人。天安門的血腥清算，重點有二：一是使趙在政府和黨內的支持者全面投降；二是徹底粉碎羽毛初展的民主運動。

天安門事件到底損失了多少人命？中共官方始終不肯公布真正的事實，以致外界揣測推斷紛紜。作者估計死亡人數約在三千人左右。根據之一是中國紅十字會事件次日所做統計為二千六百人，當然，在北京當權者的高壓下，中國紅十字會隨即否認了這個數字。但瑞士駐北京大使，曾以國際紅十字會的名義，把這個數字默默流傳給駐北京的其他國家大使們。外國駐北京的武官，依他們的專業素養，如群眾密度、軍隊規模、火力大小以及使用的交戰武器形態等，估計出來的死亡人數與三千人相近。中共官方曾經發布死亡人數為三百廿三人，並且聲明其中有相當部分是解放軍士兵。作者黃明珍推想，士兵的死亡應以出於友軍誤殺為主，當時廿七師與卅八師差點火併。中共國防部長遲浩田去（一九九六）年訪美，十二月十日在首都華盛頓國防大學演講時聲稱：「作為當時人民解放軍總參謀長，我可以說天安門沒有死一個人。」這種睜眼說瞎話的蠻橫，唯有使人更加鄙夷而已。

北京的外國記者，派駐在像中國大陸管制如此嚴密的極權社會，基於工作需要，難免會結交異議份子和民運人士，除非你甘做中共政權的官方傳聲筒。黃明珍以她的身份及背景，又比大鼻子藍眼珠的洋記者還方便多多，與這些人的來往自更深入。一九九三年魏京生出獄後，她邀魏到家裡，席間魏與支持中共甚力的美國老左派威廉·辛頓（韓丁）有過一場激辯。辛頓出過「翻身」、「深耕」等書。對辛頓而言，魏京生是個少不更事的傲慢人物；就魏來說，辛頓乃是一個老糊塗，根本不了解社會主義是多麼糟糕的一種體制。

辛頓表示，「你以為小資產階級的民主會解決中國所有的毛病？不會的，你得到的將是法西斯主義。中國的唯一解答在於走集體的道路。」

魏京生笑著說，「集體的道路通向法西斯主義。中國已經證明了這點。」（二八九頁）

作者問魏京生：西方的壓力，到底對他有無幫助？魏瞪眼望她，彷彿她是一個大笨蛋。「如果不是西方的壓力，」魏說，「我現在就不會坐在這裡。我老早被幹掉了。」

釋放魏京生　鄧毛毛說情

魏京生否認他之提早半年出獄，是因為中共有意爭取主辦奧林匹克運動會。據他表示，主要是鄧小平最小的女兒鄧毛毛受政治局之託，親口向鄧本人講情兩小時後換來的。魏京生說，「鄧小平死了以後，他的子女還要在中國過日子的。」把這件秘聞轉告魏的友人表示，「今後若有什麼事發生，你要記住她為你所做的事。」這是洞悉中國人情世態的說法，但總教人覺得魏京生友人說這段話，別有一番用心。

中共政權的壓力，直接與間接皆有，粗暴與婉轉兼備。在第十七章〈中國的古拉格〉談勞改營時，黃明珍提到：由於她有關中國大陸的報導相當嚴峻，加拿大學術界人士抱怨，這有損於他們與中國的學術交流；商人則埋怨，她這種報導破壞了貿易商機。此一現象，使得她也不時要顧慮到所謂「公允」的問題，並且自問：是否因為自己年輕時是一名為中共辯護的人物，現在「悔過」太過頭了？幾經審思，她的結論是：「對待中國，應該跟任何其他國家一樣。如果你不喜歡惡名昭彰，我推想，你就不要冷血地射殺人民。」（三〇七頁）黃明珍達致這樣的一個結論，自然需要一些道德勇氣，但更重要的是這才是正確的結論，值得喝采，否則也不會有「神州怨」這部好書的誕生了。此處還想著重指出一點，唯有把中國大陸與其他國家一樣看待，才是平等地尊重中國人之道。

近年來，中共政權不時發出西方媒體對待中國不公平的抱怨，馴致影響了大陸民眾的觀感，連出國留學生和新近移居海外的僑民也受到浸染，動輒以為西方尤其美國新聞界深怕中國富強，從而陰謀反華。事實並非如此。一九三〇、四〇年代美國派駐中國的記者作家與外交官等，曾於一九八二年在亞利桑那州小鎮舉行會議，研討「中國報導」的問題，事後由柏克萊加州大學於一九八七年出版成書。與會者針對是否偏袒中共一節，結論稱「沒有」，但也坦承對國民政府的黑暗面看得很清楚，對中共的缺失卻一無所知；至於報導中共並非真正的共產黨，則是為了避免讓一向反共的美國人責怪他們偏袒共產黨。（見《中國報導：一九三〇～四〇年代美國報業口述歷史》第六、一五一頁）耶魯大學著名的中國史學家史景遷及其夫人，去年編有《中國世紀——過去一百年來圖像歷史》，芝加哥大學余國藩教授在書評中（《紐約時報書評》一九九六年十二月八日第廿六頁），還特別指出，西方媒體中出現的蔣介石相片，全都顯得嚴厲、僵化而刻板；相形之下，毛澤東、周恩來，朱德等人的相片，卻洋溢著青春活力，充滿希望。黃明珍在《神州怨》開卷不久便提到，西方六〇年代的文化革命，已經孕育了一整個世代同情中共的人物，六〇年代末和七〇年代初期，反越戰親中共才是前進分子的標記，「中國是共產主義的好人。蘇聯則是壞人。」（十五頁）中共今天有這麼嚴重的「形象」毀損，絕非外國媒體的偏見所造成，而是咎由自取。

中國的前共產黨人在哪裡

讀完《神州怨》的〈結語：毛主席萬歲〉，掩卷回思，竟覺得黃明珍這部「有機性的構成」，業已超過報導的格局，她個人的經驗與回憶，也不純粹是傳記的素材而已；這本著作已經觸及了文學的深、廣與高。然而，欣賞之餘，卻不免有一股說不出來心情。黃明珍從一個激進的西方左派學生，不過經歷十幾年的折騰，就多少覺悟而看穿了共產主義的把戲。中國的知識分子為共產主義的意識形態所席捲，已達半世紀之久，中國的「前共產黨人」在那裡？足以震醒人心的著作在那裡？

在追憶自身的心路歷程時，黃明珍寫道：「在加拿大，身為如此明顯的少數民族一份子，我一向認為自己是中國人。但是在中國，我中國東西學得越多，越覺得我不像是中國人。我原本希望來這個地方尋根。相反的，卻發現到，我越是努力想當中國人，我越了解到自己一點也不是中國人。」（七四頁）請暫且不必聯想到新儒家唐君毅先生「中華民族花果飄零」的浩歎，更不必用目前大陸盛行的「民族主義」情緒來對待，要問的是：經過中共政權近半世紀的共產體制的統治，地理上的大陸到底有多「中國」？

當年塞門．列斯出版《中國的陰影》，在扉頁上列有魯迅的一段話（無暇還原魯迅本文，係依英文意譯）：

「因此，今天如果找得到一位外國人，雖然被邀請來參加中國人的盛宴，但他敢於針對中國的現狀，指名道姓的予以痛罵，於此，我必尊稱他是一個真正誠實的人，一個值得欽佩的人。」

魯迅如果今天還活著，或許竟會驚喜地發現：這個「他」就是「她」——黃明珍。

（Red China Blues by Jan Wong, Tornonto：Doubleday／Anchor Books, May 1996）

——《美國世界日報·世界週刊》1997年1月26日

軍事在非洲新興國家建國過程中的功能

一 引言

第二次世界大戰以後，亞、非地區有許多從前屬於西方國家的殖民地，紛紛宣告獨立，尤其是在一九六〇年左右，獲得獨立的主權國家，數目更多，而其中又以非洲新興國家佔據了最大的比例[1]。在這麼短的時間內，出現了這麼多的新興國家，是人類歷史上向所未見的情況。這些國家的出現，毫無疑問的，已經成為二十世紀國際政治史上最令人注目的現象之一。這批國家的加入國際社會，使得國際社會的陣容產生了某種程度的改變，做為現行國際社會之縮影的聯合國組織，也由於這批國家的參與，形成了不少的變化與不同，使學者們不能漠視此種情勢所帶來的影響[2]。然而新興國家今天所面臨的種種問題，最重要的還不是在於它做為國際社會的成員所帶來的影響，而是在於它將如何努力去達成一個名符其實的民族國家，前者只具有形式上的意義，後者則具有實質上的意義。從長遠的眼光來看，新興國家的建國問題，不僅影響到該國的前途存亡，而且與人類的未來息息相關，因為今天幾乎有三分之二的人類正在從事建國的工作。基於現實

1 例如一九六〇年，非洲有十八個獨立，數目驚人。目前非洲國家總數已超過四十。
2 關於非洲國家在聯合國的活動，參考李其泰〈非洲國家在聯合國〉，收入《聯合國與外太空》一書；並參考朱建民《聯合國內集團政治》一書。

的需要，迫使社會科學家不得不對這些問題從事探討，但也因為這樣，使得社會科學尤其是政治科學，面臨了一個新的研究領域，開創了新的境界，未始不是一件有價值的事。目前有很多政治學者對新興國家做多方面的探討，正是這種趨向的說明。

雖然西方學者們勤奮的研究非洲問題，並出版了為數甚多的專門書籍[3]，但其成果似乎仍有難以令人滿意的地方。因為這些學者們從小便接受西方文化的薰陶，不免拿本身的價值標準與政治結構做為分析工具，有時把觀察的結果強行置入自己設定的架構內，發生了削足適履的偏差。由於非洲國家的政治情況，屬於個人因素者多，屬於制度因素者少，跟西方國家極為不同，所以西方的政治學者們似乎不易領略非洲社會所具有的獨特性。簡單說，也就是難採取心理的－功能的研究途逕（psycho - functional approach）[4]。因為這個緣故，所以他們不易做到同情性的觀察和透入內裏的了解。換句話說，西方政治學者的研究，往往是以西方文化與西方社會為本位的探討，能夠以非洲人的立場來從事研究的，畢竟是少數。話雖如此，但我們對非洲問題的認識，絕大部份仍然得自西方學者的著作，他們的研究貢獻，是不容抹殺的。

大多數研究非洲問題的書籍，是以個別國家為其主題，敘述該國的歷史、地理、人種分佈的狀況、社會結構及政治演變。做綜合性說

3 其中以英、美學者對非洲問題研究最為透徹。

4 Nicholas D. Onyewn “An Approach to African Politics ”in African Studies Review Vol x111 no. 1 April 1970 , Published by Michigan University . In their essay , the author made a succinct critical survey of approaches taken by western scholars in their dealing with African Politics . What he suggested in substitution is called a “psycho - functional”approach. This model may be summarized as： need - personal action - environmental response - adjusted action .

明的當然也有，但大體上依舊不過是集合個別國家的研究而予以摘要陳列。由於非洲國家彼此之間呈現著很大的差異，這種著述方式是很難克服甚至是不可避免的。一般說來，這些書籍所探討的範圍很廣，就某一程度，也可以說是面面俱到，但令人遺憾的是對於軍事問題卻很少提及。現代的社會科學對於軍事問題沒有做過多少認真的探討，一方面是由於材料本身的困難，諸如軍人資料的不易取得，很難形成一種typology而加以研究，這種情形在非洲國家更是顯然，因為這些國家的統計資料往往不很可靠；另一方面則是出於學術界的偏見，因而忽略了軍事問題的重要性，因為自孔德、史賓塞以還，「軍國主義的」、「軍事的」社會，常常被批評為在道德上劣於現代的工業社會。由於研究材料和研究者本身具有這些缺點，所以軍事問題竟被忽略了相當的一段時間。晚近，學者們逐漸脫開學術界的偏見，開始嘗試做學理上更進一層的探討。然而平心而論，對非洲國家的軍事問題加以研究，仍然是在幼稚階段[5]。本文試以漠南（sub - saharan）非洲國家為限，對軍事在此區內新興國家建國過程中的功能，做一個一般性的說明。

二　建國工作與軍事

非洲新興國家彼此之間雖然呈現著極大的差異，但與其他地區的國家相比，也有他們的共同特點。在他們政治生活中最醒目的現象之一、就是其過渡性，這點特性逼使我們在做政治分析時，集中注意力

5 Preface to “The Role of the Military in Underdeveloped Countries” edited by T. J . Johnson. Princeton , N. J. Princeton University Press , 1962 .

於變動的型模，採用發展的型模來分析，而不是平衡的型模。所以會有這種情形發生，大體上講，是由於現代化的衝擊對傳統非洲的社會結構、人民的價值與信仰體系所引起的革命性變化而促成的[6]。非洲新興國家具有下列幾項共同特徵[7]：

1. 他們都是在晚近才獲得主權獨立，在獨立之前有相當長的一段時間，皆受西方國家的統治。他們本國的政府機構，淵源很短。

2. 他們的社會結構、經濟、文化等，仍然是高度傳統性的。此外，其政治傳統中並未含有西方式的民主的、代議的、憲政的政府。

3. 他們人民中多數的優秀份子，致力於改變社會、文化、政治、生活及一般人民的氣質，努力於推動國家的現代化。

這種追求現代化的願望，不僅非洲國家如此，凡是新興國家都有這種現象，但是非洲國家情況較為特殊。因為非洲新興國家的「傳統」社會，並不是那種歷史文化悠久自成一套價值體系的傳統，無寧是一種比較接近於「原始」社會的傳統，雖然有這種差異，但其為現代化之障礙則一。此外，非洲國家受歐洲人長期的統治，對於非洲新興國家的獨立，歐洲人始終認為「非洲本是歐洲人懷抱裡的嬰兒，但在嬰兒正待成長最需要母親的時候，歐洲人卻離開了他」[8]，深深以其太早獨立而遺憾。但是民族自決是現代一股不可抗逆的時潮，明智的歷史家即曾指出，非洲國家獨立後由自己管理政事，顯然還不如由殖民母國管理來得有效率，但他們卻寧可忍受這種處境而樂於自治。然則不

---

6 J. S. Coleman " The Politics of Sub - saharan Africa " in G. A. Almond and J. S. Coleman：The Politics of the Developing Areas , Princeton University Press , Princeton N. J. 1960 , P . 270.

7 Edward Shils：" The military in the political development of the new states " in the role of the military in underdeveloped countries , P. 13.

8 記錄片Africa Addio中語，頗能說明歐洲人心理。

容否認的，「非洲新興國家的統治者，仍然是以前殖民統治者的囚犯[9]」，而這些國家所致力追求的現代化，實即以西方為模範，對他們來說，「現代」意即變成西方化而不必再倚賴西方國家[10]。這種一方面以之為師，一方面又想極力擺脫的矛盾心理，頗能說明這些國家在政治行動上種種不可思議的作為。

現代化是所有非洲新興國家全體一致的要求，這是頭緒萬千百廢待舉的一項大業，學者們由於著重點不同，或稱之為現代化（modernization），或稱之為政治發展（political development），或稱之為建國工作（nation - building）。個人以為「建國工作」一詞最能表達其要求，也最具體，而能把現代化、政治發展等的意義包括在內。建國工作含蓋的項目極多，諸如工業化、都市化、商業化、憲法的草創、人民生活水準的提高、環境衛生的改善、教育的推展、政治制度的建立、文官與行政管理的改革、國民意識的養成、民主與平等的精神、科學技術的改進、經濟的進步，甚至是國家影響力的擴張等，可謂舉不勝舉。這些名目雜多的工作，卻都朝向一個共同的目標，那就是在於建立一個名符其實的民族國家。但是以這些國家本身所具備的有限能力，再加上其他強國權力鬪爭的羼入，更使情況益為複雜而微妙。我們固然不能斷言非洲國家不可能達成其目標，但這的確是一項又艱鉅又困難的工作。在推動建國工作的時候，無疑的需要武力來掃除或防止各種內在及外在的干擾，軍事在建國過程上的重要性，不難由此見出。何況更就歷史事實的演進來看，民族國家的產生原是先有民族的存在而後有國家的形成，今天非洲的新興國家則是先有國家的產生而後有民族形成的必要，這本是背道而馳的一種反常現象，是非

9 Shils , op. cit P . 43 .
10 ibid , P . 11.

洲新興國家問題的癥結。換句話說，歷史上民族國家的成立，多少是自然趨勢促成的，今天非洲新興國家致力於達成民族國家，顯然是一種人為的努力，而在政治上，人為的努力大抵需要武力的維護，由此而論，軍事在這些國家建國工作上的比重，誠然是不能忽視的[11]。

三　軍事在建國過程中的功能

在討論漠南非洲新興國家的建國過程中的軍事問題時，先敘述其一般性的歷史演進，對本問題之了解不無幫助。在近代史上，漠南非洲孤立於軍事衝突之外，這是值得注意的現象。其原因，一方面固然是拜地理環境之賜，特別是沙哈拉沙漠的隔絕；一方面也是由於控制這些地區的殖民國家，自一八八五年非洲被瓜分以來，彼此尚能維持友好的關係，利益的衝突也不致演變成大規模的武裝衝突。第一次世界大戰期間英、法、德在非洲的衝突，以及一九三〇年代義大利與衣索匹亞的戰爭，是比較顯明的例外，但影響並不大。一般說來，殖民國家不願意使非洲染上軍事色彩。一九一七年，史末資將軍（ General Smuts）曾希望各國勿對土著施予軍事訓練。後來國聯對德國殖民地的託管辦法中，也聲明無意對土著人民施予軍事訓練。不過這項規定被人漠視，所以在第二次世界大戰期間，竟訓練了大約五十萬的非洲軍隊。聯合國憲章對非洲託管領土的管理辦法中規定，為了達成託管目的，允許成立軍事設施，並可徵用土著在本土之外服役。至此，所有國際間中立化或非軍事化非洲的企圖，才逐漸成為泡影[12]。

---

11 張文蔚「新興國家之建國問題」頁一〇五（政治學報）。

12 J . S . Coleman and B . Brice Jr. “ The Role of Military In Subsaharan Africa ” in the

就個別國家而論，漠南非洲國家的軍隊人數仍然不多，有些國家只是象徵性的幾千人而已！軍官屈指可數，甚至對於本身的職責認識不清，而有新奇之感[13]。同時，除少數國家外，軍隊對於國家之獨立，並沒有直接的貢獻。這些國家的軍隊與傳統上以備戰為目的的軍隊，略有不同。這些國家的國防經費，如與先進國家相比，並不算高，但對資源有限，而又正邁向現代化的新興國家來說，也委實是一種負擔。因此就國家的有限財力而言，軍費負擔是相當沉重的，況且這些國家的訓練設備及教育設施，本已有不足之感，一旦用到軍事上，不啻減少了其他方面的用途[14]。然則軍事的功能如何？

第二次世界大戰期間訓練的五十萬非洲軍隊，由於受到較佳的訓練與技術，並有居住國外的經驗，擴大了他們的知識範圍，戰後退伍，非洲社會固然只能容納極少數的退伍軍人，他們對村居生活也覺不滿，但依然有許多人回到鄉下，從事各種活動，退伍軍人組織成為影響力很大的壓力團體，凡此種種都說明了他們業已成為推動社會轉化的重要角色，是進行現代化的中間份子。再就獨立後的情勢需要而論，非洲新興國家領袖們的期望，與本國所具有的有限能力相比，差距很大，因而增加了他們對外在世界的倚賴，而這與他們的主觀心理有所不合。為了克服這種倚賴的情形，遂使他們走上了強力政府的統治方式，用強迫的方法動員地方的物質與人力。再加上獨立後內部的不安定，以及國家分裂的威脅，此種集中權力的傾向尤其受到鼓勵。向人民要求重大的犧牲，以及內戰的高度可能性，說明了何以在新興國家中，軍事佔有舉足輕重的地位。更就非洲新興國家建立政治組織

---

above mentioned book edited by Johnson , PP . 360 - 362 .

13 Shils , op . cit . P . 39 .

14 Coleman and Brice , op . cit . PP . 395 - 396 .

的過程看，在所有新建立的組織中，最成功的當是軍事組織。建立軍事組織，比起建立文官制度、政黨等似乎更為容易，而且最具有現代意味。在新興國家裡，軍隊是一個現代化的組織（Army as a modern organization），同時它也是一個推動現代化的機構（Army as a modernizing agent）。身為一名新興國家的軍人，不僅要成為一個優秀的戰士，而且要成為一個現代化的人[15]。從上面的說明，可以看出，非洲新興國家的軍隊，與傳統上以備戰為宗旨的武力，略異其趣，其存在的理由，基本上是做為建國過程中推動現代化、促進國家建設的一種組織。

非洲新興國家的軍隊如何能夠負擔起建國過程中這樣重要的工作呢？我們首先必須指出，這些國家的軍隊本身並不是傳統的產物，而是一種外來品，根本就是西方型的組織，大體上是以第二次世界大戰的軍隊組織為模範而建立的，少數國家的軍隊更接受了較新的訓練方式，包括管理、交通、機械、土木工程、彈道學等現代課程，比起本國的其他份子，實際上具有更豐富更現代的知識。這些國家追求西方化（實即現代化），而軍隊本身就是西方化的產品，所以從主觀條件看，軍隊已或多或少具有推動現代化的資格；就客觀的環境講，非洲新興國家除迦納、奈及利亞、突尼西亞等國家，其殖民母國為他們留下了略有規模的文官制度外，其他國家的文官制度缺點很多，諸如貪污、腐敗、無能、沒有效率等。而在傳統與現代化之間，總是存有許多衝突，文官統治的無效，也許正是軍事領導的好機會，藉它來維持國家秩序，為國家的現代化做鋪路工作[16]。所以，客觀的環境也使軍

---

15 Lucian W . Pyc “ Armies in the Process of Political modernization ” in Jornson’ s above mentioned book , P . 74 .

16 Shils , op . cit , P . 64 .

隊有負擔重大責任之必要。

研究新興國家軍事問題的學者，幾乎都認為：在這些國家內，軍隊賦有超出軍事以外的目標（extramilitary purposes）。換句話說，軍隊的功用不只是做為抵抗外來武力的一種國防力量，而逐漸變成安定秩序推動現代化的工具，也就是說，它具有建設性的功能。我們試就以下幾點說明之：

1. 社會心理的功能：軍隊的成員來自全國各地，與往往只代表某一地域的政黨不同，因此更能說是全國性的組織，能表達全民的意欲。所以在軍隊中，種族主義、民族主義的情緒不致於走向極端；同時軍中重視紀律，注重團體精神，能培養愛國心。非洲新興國家的軍隊固然不是傳統的產物，但對於傳統社會仍具有同情與關懷的心理。凡此種種，在培養人民的國家觀念和公民意識上，有其貢獻。而在推動現代化的工作過程中，又能做為傳統與現代之間的安定力量，這些都是不容忽視的。何況軍隊組織比其他組織缺乏狂熱的宗教崇拜，在轉變土著人民的宗教虔誠為忠於國家之熱愛上，軍隊當有更具體的貢獻。今天非洲新興國家的人民，必須經過這一段心理上意識觀念的變化，才能達成真正的民族國家，這種轉化過程愈短愈好，軍隊恰宜在這方面有所發揮。

2. 經濟的功能：軍隊接受過現代化的技術與行政訓練，而一個穩定而進步的社會所需要的正是技術性與行政性的知識份子，非洲新興國家的軍官就是這一型的知識分子。戰爭技術越變越複雜，使得軍事與非軍事的差別益形減少，因此軍官所懂得的管理及技術經驗，也可以適用到民間企業上[17]。有些學者甚至認為軍隊乃是一個工業化的組

17 Morris Janowitz , The Military in the Political Development of New Nations , the University of Chicago Press , 1964 . P . 27 .

織[18]，而在新興國家中，工業化實即進步的同義詞，所以對於經濟發展成效甚大。在新興國家中，軍隊發揮經濟性功能的活動大體上為：（一）它可做為技術及管理技巧的訓練場所；（二）軍隊直接經營企業以滿足民間社會的需要[19]。非洲新興國家的軍隊具有經濟性的功能，已然是它的一大特色。

3. 政治干預的工具與政治安定的先決條件：新興國家獨立以後，可能由於政府腐敗、經濟發展停滯、社會不安，因而引起兩種現象：一是政黨政治沒落而走向無政府狀態，舊的保守力量和新的自由力量皆無法挽救局面；二是左傾革命份子從事秘密顛覆或遊擊戰，藉以奪取政權。軍人一般卻有反共產主義的情緒，對於文人領袖又常常表示不信任，在這種情形下，軍人挺身出來推翻政府，目的在阻止腐化混亂的延續。並防止左翼份子的奪權[20]。所以有人說非洲新興國家的軍隊是最具有政治意味的。假定軍人奪得政權後，能夠充分發揮上述社會心理的及經濟的功能，那麼軍人執政，至少在短期內，是政治安定的先決條件。對新興國家來說，安定是非常珍貴的，也是進步所不可或缺的，就這個意義看，軍人干政便具有建設性的功能。

此外，在新興國家的對外關係上。軍人也發揮了作用。軍事領袖由於職業上所產生的安全感，因此往往比較自信，能夠袒誠的跟先進國家交往。而其他政治領袖則對西方極為猜疑。所以有的學者認為，對非洲新興國家給予經濟援助，名義上雖較軍事援助好聽，但衡諸實際，其效果反而不如軍事援助[21]。但從另一個角度看，新興國家在成

---

18 Lucian W . Pye , op . cit . P . 81 .

19 Janowitz , op . cit . P. 75.

20 張文蔚《新興國家之建國問題》頁一三一。

21 Lucian W . Pye . op . cit . P . 87 .　關於美、蘇在非洲之軍事援助，可參考 W . Joshua and S . P. Gilbert , Arms For the Third World , The Johns Hopkins Press ,

立國家軍隊時，有效的延續它與殖民母國的關係，是有其實際理由與需要的，因為軍火、戰術、訓練等均宜力求一致。然而新興國家獨立以後，卻有一個共同趨向，即把它對外的倚賴關係由單方的變成多方的[22]，這種矛盾情形，值得我們注意。

四　未來的展望

沒有任何一位新興國家的領袖人物，敢於公開聲明不需軍隊的支持而能治理國家的。在探討新興國家的政治狀況時，勢須對其軍事問題加以考慮。軍事在非洲新興國家的建國工作上，的確具有建設性的功能，但是我們不能過分渲染誇大。軍隊要在新興國家奪取政權是很容易的，但要它治理整個國家，則是極端困難的事。何況就是在發揮功能時，軍隊也有它內在的限制，試以經濟發展而言，軍方能提供管理及技術上的貢獻，但對整個國家經濟活動的策劃，軍方無能為力。所以在一個經濟發展迅速的新興國家，由軍人來治國，倍覺困難。因此軍人一旦掌握政權後，必須把它發展成一種文人型式的政治組織，或者跟民間的政治團體保持悠久而友好的關係。換句話說，軍隊在掌權以後，務須透入民間，或軍隊組織民間化（civilianization）。在文官體制不健全或不存在的情況下，小量的武力便具有決定性的影響，但軍隊的影響力越加擴大，則文人對於軍人的影響力必定更形敏感。今天非洲新興國家所最缺乏的，正是文人與武人之間的互相信賴。軍人對文人的政治團體多數懷有敵意，不合作、不友好；而文人對軍事領

Baltimore and London . 1968 .
22 Coleman and Brice , op . cit . P . 385 .

袖更是多方猜忌。當然，文人武人這種關係是一種過渡性的現象，然而過渡性的現象如果延續太久；如拉丁美洲國家，則顯然不是國家之福。

從西方先進國家成立民族國家的歷史過程看，一旦社會更具現代化及特殊化之後，軍隊即不可能再把持政府而直接統治國家。一般而論，現代社會裡的軍事機構，是不能實施直接統治的，在正常的情況下，軍隊是執行國家政策的工具，而不是決定政策的主人。當然，就非洲新興國家來說，軍人政治比起無政府狀態、貧污無能的政府或左傾政權，畢竟仍是較為有效，較具建設性的統治方式[23]。然而我們不應忘記，他們所要致力達成的目標是建立一個現代化的民族國家，必須更進一層繼續努力，不能以暫時的安定和眼前的改革而自滿。

五　結語

建國工作是一項艱鉅的大業，有些國家做得相當成功，如明治維新後的日本；有些國家則顯然未能成功，如拉丁美洲國家在獨立一百五十年後，仍然不時出現無能的政府、政潮迭起。今天亞、非地區的多數人民努力於建國工作，其成其敗，尚難預料，然而以這些國家所具備的貧乏條件，而要達成如此高遠理想的目標，其困難自可想見。在當前的國際局勢下，建國工作的成功或失敗，關係著人類未來之為自由或是奴役，民主或是極權。截至目前為止，非洲新興國家中似乎尚未出現共產政權，但我們不能保證將來絕對不會出現。我們對新興

---

23 David W . Chang “ The Military and Nation - Building in Korea , Burma and Pakistan ”Asian Survey , Sep . 1968 , P . 830 .

國家的建國工作從事學術性的探討，其意義豈止是在滿足知識上的興趣而已？

早在五十年前，中山先生即已提出軍政、訓政、憲政、心理建設、物質建設、政治建設等方案，今天西方學者對建國問題的研究，大體上也以這些項目為主，由此的確可以看出中山先生做為政治思想家的偉大之處。但在我國的建國過程中，先是出現了相當一段時間的軍閥割據，以後日本的侵略勢力逼入，阻礙了建國工作的進展，最後大陸淪入共產政權的統治，對這一段悲慘的史實，我們的學術界似乎沒有從建國過程的角度來研討。對軍閥割據的局面仍然不外是以「外史」「野史」「史話」的方式出之；對共產政權的竊據大陸，仍然流於宣傳性的謾罵，很少做嚴謹的學理性的探討。做為一名研習社會科學的學生，不能不為這種落伍的情況感到羞愧。這已是題外的話，但在撰述本題時，不免想到這方面，不吐不快，幸勿以贅疣視之。

——《幼獅月刊》，1971年12月

冷戰之後會有溫暖的和平？

共產主義狂潮消褪、冷戰結束後，全球各地民主、自由的推展，是達致國際和平的不二法門。

楔子

隨著最近兩年（一九八九、一九九〇）國際政治的劇烈變遷，第二次世界大戰以後所形成民主與共產、美國與蘇聯之間的對峙，實已面臨關鍵性的歷史轉捩點。冷戰就要結束了，後冷戰時代的世局將會呈現什麼面目？

一　圍堵政策的回顧

其實，具體一點講，冷戰乃是美國圍堵政策的產物。稍事回顧圍堵政策的基本觀點，以及它被採納為正式政策的過程，當不無幫助。圍堵的基本觀念出自美國著名的外交家肯楠（George F . Kennan），他在一九四七年七月份的外交季刊上發表了著名的一篇論文，由於肯楠當時擔任國務院政策設計處的主任，身份相當敏感，因此便以無名氏（Mr. X）的名義發表。在這篇重要論文中，作者提出了如下的構想和做法：

蘇聯對西方世界自由體制所形成的壓力，只要針對蘇聯政策的種種變化與謀略，在地緣據點和政治據點上，採取一連串恆常與其相對應的反制力，形影相隨，靈敏而機警地加以運用，則其壓力乃是可以被圍堵住的。

在同一篇論文裏，肯楠指出：

美國本身有這種能力，足以大事抽緊迫使蘇聯政策非得依此而運作不可；可以迫使克里姆林宮行事更加節制而謹慎，遠比它近年來所不得不遵守的法度還要更進一步；同時也藉著這種方式來推展某些趨向，到了後來，這些趨向必然會促成蘇聯權力的解體或使其漸趨成熟，其出路不出此二途。因為凡是充滿神祕性、彌賽亞式的運動，在面對永無止境的挫折時，依常理所示，到頭來總是不得不根據實際情況而做某些調整，克里姆林宮更不例外。

顯然，圍堵政策的目標完全針對蘇聯而設計，根據以後歷屆美國政府的實際作為，也可以看出「防蘇更重於反共，反共是為了防蘇」這一根本立場。南斯拉夫、中共、羅馬尼亞跟蘇聯產生裂痕以後，美國政府所採取的實際行動，就是這一根本立場的政策表白。

在圍堵政策的架構中，有幾個基本概念值得特別標出：一是認定蘇聯所代表的共產勢力並非所謂「不可抗拒的時代潮流」，而是明智地運用政策技術便應該可以擋得住的；二是美國經過第二次世界大戰的洗禮，國力與自信心均大為提高，深信美國本身有能力去擔當這份責任；三是基本上假定，根據上述兩個條件，從長期看，蘇聯內部會有所調整，而這種調整有利於美國。

當然，由政策設計的概念演變成具體的政策措施，其間總會有一個主、客觀的修正歷程。在第二次世界大戰末期，即一九四三年秋天，華盛頓所最關切的乃是下面三項計畫：甲、大力支持聯合國及其附屬機構的成立，俾使其能正常運作；乙、儘量設法與蘇聯的史達林及其僚屬合作；丙、關於被兩次世界大戰所蹂躪的地區之政治問題，仰賴英國去解決。但客觀形勢的發展，總是很難跟主觀的期望相配合。一方面由於後來史達林的基本態度根本就是不合作，只圖擴張蘇聯在歐洲和亞洲的勢力；另一方面所仰賴於英國者，全告落空，希臘和土耳其危機發生時，英國反而公開聲明放棄支持希土以對抗蘇聯；再加上杜魯門總統後來知悉蘇聯已經擁有製造熱核子武器的能力，事後發現，蘇聯的熱核子武器計畫甚至比美國早三個月；在這種種事態的推演之下，美國遂利用韓戰爆發的時機，正式採納了圍堵政策，因此也正式成為國際政治上的超級強權。（有關圍堵政策的細節，可參考一九四八年肯楠所擬的NSC-20-4文件，以及一九五〇年尼茲（ Paul Nitze ）所擬NSC-68文件，後者更強調利用事實力量做為政策工具，已於一九七五年解密。）

經過四十年來的演變，證明圍堵政策確實發生了效用。曾經參與設計及執行此一政策的尼茲，甚至以「成功」來形容，他表示，「圍堵政策的確已經達成其基本目標；迫使蘇聯領袖們不得不向內檢討，而他們並不喜歡他們所看到的景況。」冷戰已經正式結束了嗎？借用美國前駐聯合國大使柯克派垂克（Jeane J . Kirkpatrick ）的話來說，「冷戰幾乎已成過去，而戰後的世代則絕對已告完結。」

現在的問題是：今後該怎麼辦？

二　歐洲的新局面

不管世人的好惡如何，事實上當前世局的演變仍以歐洲為重心。真正足以影響世界歷史的方向、改變全球戰略的配置者，依舊是歐洲局勢的發展。綜觀過去幾年的變化，東歐方面是蘇聯內部的改革與自由化，東歐諸國的民主化；西歐方面則是歐洲經濟社會的整合，東德與西德的統一。茲分別就這四件大事略加分析：

1　蘇聯內部的改革與自由化

無論從那一個角度來衡量，一九一七年蘇聯的共產革命，委實是人類歷史上的一件大事。在二十世紀意識型態的抗爭上，蘇聯所代表的共產主義，以其道德上的憤怒感、無階級社會理想的號召力，配上精通群眾心理的動員組織策略，不容否認的，共產主義的確吸引了全球各地具有理想主義心態的青年，到二十世紀中期，不少國家淪入共產集團，一時之間幾乎變成莫可抵禦的時代潮流。但經過七十餘年來的實驗，在經濟領域方面誠如著名的左派經濟學家海爾布魯諾（Robert Heilbroner）所不得不承認的，畢竟還是資本主義勝利了，共產主義失敗了。而在政治領域方面，從列寧、史達林的鐵腕統治，中間經過赫魯雪夫小幅度的改革，接著卻是布里茲涅夫主政二十年的停滯，到八〇年代中期戈巴契夫上台時，蘇聯的經濟、政治實已處於走不下去的窘境，「開放」與「重整」，說穿了就像中文裡頭的「轉進」一樣，實際上是在替「失敗」找出路。倫敦泰晤士報稱蘇聯是第三世界的國家，卻擁有第一世界的武力，或許不失為一項平實的估計。

今後在全球政治舞台上，由於共產主義的吸引力已褪色，更不再是人類未來前途的導引，而蘇聯本身的經濟力不足以繼續負擔在世界各地積極活動的本錢，顯然其注意力當會轉向解決內部問題，諸如經濟生產力的提升，糧食的供應，蘇維埃各共和國間因種族因素所引起的緊張和衝突等等。換句話說，蘇聯今後成為其他國家的威脅，其威力與可能性均趨於減少，亦即自我圖強的傾向大，改造世界的衝勁小。

值得一提的是，從戈巴契夫及其外交部長謝佛納吉的言論中，可以發現他們對西方的民主與自由觀念的理解，相當深入，在共產國家的領袖中，可說無人出其右，尤其不是中國共產黨的領導人物所能比擬的。蘇聯共產黨的轉變，頗受康德思想的影響，特別是康德的永久和平論這部著作。蘇聯的「開放」與「重整」如能成功，則以其在共產集團的龐大影響力，對其他共產國家必然產生示範作用。蘇聯固然在意識型態方面失去了過往的光輝，但它的幅員、地理位置、人口以及其他的潛在影響力，即使已不再是超級強權，也必當是一個最值得重視的列強，世人千萬不能輕忽。

2　東歐的民主化

東歐的民主化是共產主義勢力在全球逐漸衰頹的表徵，也是蘇聯控制力降低所使然，當然更重要的是東歐人民主動追求民主的精神。波蘭、東德、捷克、羅馬尼亞、匈牙利、南斯拉夫等，莫不皆然。

東歐情勢的發展，使得戰後北大西洋公約與華沙公約之間的長期對抗起了變化。由於軍事對抗的危險性已減輕，加上多年來東歐國家經濟上的沉痾，這些國家在當前國際關係上的角色，不在如中文「蘇東波」這個名詞所意含的對於其他國家有什麼影響，而是在於如何自求多福。

3　西歐經濟的整合

由西歐十二國所組成的歐洲經濟社會，即將於一九九二年正式成立。這是人類歷史上少見的嘗試，其未來走向如何，對全球政治經濟所可能造成的影響，當然很難加以精確地估計。但European Community 一共有三億兩千五百萬人口，光憑這點就已經是工業國家中最大的市場，遠超過美國、蘇聯和日本，更別提其工業生產力之雄厚。

目前，關於西歐國家之間權力地位的移動，已然隱約可見。英國因為重視它與美國的關係，並不熱中於歐洲經濟社會的建立。法國受到東、西德統一的影響，相形之下，它在今後的比重可能減輕。論者有謂，今後歐洲政治的中心，可能會從巴黎移轉到柏林。美國與歐洲之間，戰後一般而言是施比受多，且派有可觀的軍力常駐歐洲。如今不僅歐洲會在商業上成為美國的強有力對手，況且歐洲經濟社會的成立完全沒有邀請美國加入，此中已露玄機。

維繫戰後歐洲安全數十年的北約組織，雖說兩德統一後，經過一番協商，蘇聯已同意統一後的德國留在北約組織內，但北約今後的重要性是否一如既往，卻令人不無懷疑。倒是成立於一九七五年的歐洲安全與合作會議（Conference on Security and Cooperation in Europe），未來的角色值得注意。這個組織自成立以來迄無固定工作人員，無常設秘書處，甚至連永久性的地址也闕如，但卻有會員國三十五國，除阿爾巴尼亞以外，歐洲各國不論大小，一律在內，包括聖瑪利諾、利支列斯坦等小國。如果這個組織未來產生了更進一步的作用時，可以想見終將與北約有所牴觸。

4　西德與東德的統一

一九九〇年十月，西德與東德正式合併為統一的德國。這是民族國家歷史上罕見的政治、經濟、人文的整合工程，似乏先例可循。但徵諸德意志民族歷來所展現的精勤能幹，雖然世人大都理解統一的代價很高，同時也絕非短期間內即可大功告成，不過也很少有人持悲觀的論斷。

由於德國是二十世紀兩次世界大戰的發動國，世人－尤其是身歷其境的歐洲國家人士－對統一後的德國自然會有疑慮。幸好西德的柯爾總理表現了政治人物極為成熟的一面，有關統一大業在對外關係上的影響，始終採取低姿態，並且信誓旦旦的以歐洲經濟社會的一員而自足。但柯爾卻也善於掌握這一創造歷史的時機，因此多年來西德政治由柯爾總理與根舍外交部長分權而治的局面，顯然已由柯爾取得更大的比重。至於統一後東西德內部如何平衡與調整，與國際政治牽涉較少，屬於內政的問題，可略而不論。

不論就人口的數量、工業生產力和歐洲地緣中心的位置而言，統一後的德國即使有意保持低姿態，即使領導者全力謀求與歐洲各國維持睦鄰友好的關係，但畢竟是錐處囊中，稜角久而必現。德國的實力和影響力只會愈來愈強，這對整個歐洲乃至全世界的局勢會有什麼含義呢？有人甚至這麼問道：歐洲會不會回到第一次世界大戰前的局勢？蘇聯內部不穩定，一團混亂；德國國勢不斷擴大，而英國和法國卻無所作為；巴爾幹半島則情勢緊張而不安定；這些將意味著什麼？

經過四十年的演變，今天的歐洲的確與冷戰時代大有不同，而其直接與間接的影響力，今後恐將源源而來，全球各地都會感受得到。

三　國際戰略的異動

蘇聯的自由化與改革，加上東歐各國的民主化，不僅解放了東歐，也解放了美國與西歐各國因冷戰而引起的全球軍備。這固然減輕了美國的經濟負擔，但相對地，美國也可能喪失了在歐洲、亞洲的巨大影響力。蘇聯及其所主導的共產集團，由於共產制度數十年的政經失敗，目前大多傾向返求諸己，主觀上已經不像從前那樣積極於「輸出革命」，客觀上也實在有點力不從心，嚴格講，其影響力正在日趨減退。美國與蘇聯的影響力既已日益降低，而美蘇彼此之間的對峙又漸趨和緩，如此一來，全球的戰略將有什麼異動？

冷戰期間，美蘇各自主導一個集團相互對抗，目前這種兩極超級強權的基本型態顯然已經鬆動。對美蘇這兩個超級強權而言，是它的約束力、影響力和領導地位的減退；而對集團內的非超級強權國家來說，則是相對地獲得了更多的自主權與行動自由。更明確或更扼要地說，就是由兩極（Bipolarity）變成多極（Multipolarity）。政治分析家米爾歇默（John J. Mearsheimer）最近曾就這方面相關的問題發表一篇長文，嚴謹兼且深入，引起各界的重視與爭論。依他的研究所示，多極體系比兩極體系更容易造成戰爭，這個論點有堅實的統計數字來支持。同時，在多極體系下，嚇阻策略很難維持，因為各國之間的權力並不平衡，此種現象隨處可見。某兩個強國可能聯手對付另一個強國，或一個強國單挑另一個弱國。更次，多極體系下的嚇阻策略也問題重重，對抗國家其決心、大小和實力，更難加以估計，因為國家之間合縱連橫的情形頗富彈性，使得國際秩序總是不斷遷動。換句話說，對峙消失以後，國家所受的限制更形減少，反而使局勢更不安定。

美蘇對峙趨緩以後，國際戰略將如何演變，這個問題自然引起專家學者的重視。戰略學家魯瓦克（Edward N . Luttwak）曾就今後的發展提出如下的推斷：

1. 蘇聯與西方國家間的對抗，是否會被南北對抗所取代？就南北對抗而言：北方比較統一，南方未見統一；其次則北方有手段，但無動機，南方雖有動機，但無手段，要掀起大規模的對抗，動機與手段必須一致才行；同時在可見的未來，南方的大多數領導人仍將仰賴北方，與北方合作有利於這些領導人。

2. 蘇聯與西方之間的對抗，會不會被更惡劣的「衝突的國際化」（internationalization of conflict）所代替？東亞、歐洲各國彼此間會不會逐漸萌生敵意？蘇聯內部的種族衝突是否更形劇烈？比較起來，西方國家之間產生嫌隙的可能性高過蘇聯集團。美日之間關係漸趨緊張，英、法、德相關地位的調整與磨擦，尤其統一後的德國係世界第三大經濟體，更是值得注意。不過「衝突的國際化」一般不致於造成核子大戰，但利用戰爭當做政策工具的可能性卻大為提高，其實這是一種變相的復古。

3. 西方與蘇聯之間的對抗，會不會改頭換面捲土重來？當然，如果克里姆林宮發生宮廷政變，或如近日謠傳的軍事政變，這種情形自然也有可能，但大趨勢畢竟難以扭轉。

4. 由於民主資本主義勝過馬克斯列寧主義，在二者的辯證歷程中會否產生新的衝突根源？民主資本主義在意識型態上有無新的挑戰？民主資本主義正因為它的成功，而使其邊際效用隨之降低。值得注意的是群生論（姑以試譯英文新字 communitarianism）的觀點。它在根本上即對資本主義加以排斥，認為資本主義市場的效率，一方面摧毀了人與人的關係，另一方面正由於效率促使經濟的成長，而此成長卻戕害了大自然的環境。

根據前述的分析，似乎多極體系連同衝突的國際化，將是形成今後國際關係基本輪廓的主要因素，在這種假定之下，各國因宗教信仰的不同而引起的衝突，因領土糾紛而造成的敵對，由於各國所受外來的約束已放鬆，是否因此而更激烈化，也是應該正視的課題。

在意識型態的戰場上，共產主義整體而言也正在消退，因此而留下的真空有沒有別的主義可填補？一般而言，政治上無所謂權力的真空，一有真空總是不久便會被補足。論者大都認為宗教與民族主義最有可能取代共產主義，純就政治領域而言，民族主義更較切題，宗教暫不置論。其實，自從十八世紀西方民族國家興起以後，民族主義一直是國際政治最主要的推動力，只是在美蘇對峙、民主與共產對抗的情況下，其重要性暫時沒有得到應有的重視。民族主義在凝聚人心上的功效，似乎別無可與比擬的對手。它可以使落後的民族不計成果追求獨立，即使明知獨立後的景況更差；可以使龐大的帝國因而解體；甚至是強調意識型態的國家如蘇聯，在遭遇外敵時也莫不捨棄共產主義的身段，而重新祭起民族主義的大旗。在後冷戰的時代，民族主義將朝那個方向去發展呢？如果歐洲經濟社會運作成功，藉此而漸次消弭了民族間的歧異，會不會成為被師法的對象？或者延續民族主義過往的香火，從而使蘇聯的某些共和國努力於追求更具獨立性的地位？中國大陸的西藏與回族，其動向如何？平心而論，民族主義仍然會是影響今後世局的主要因素。

研討全球戰略，不能不談到核子武器。人類雖然沒有經歷過全面性的核子大戰，但戰爭之所以可能成為浩劫，唯有在使用核子武器的情況下始克存在。在列強之間的權力分配，核子武器的分配占有很高的比重。以歐洲為例，根據米爾歇默的分析，大體會有下列三種情況：

1. 全面泯除核子武器：許多人相信這是最能保障和平的安排。但對原已擁有核子武器的國家來說，要他們放棄核子武器，等於叫他們丟掉其主權的護身符，事實上無此可能。其實，泯除核子武器的歐洲，可能是後冷戰時代人們所能想像到的最危險局面。主要是因為核子武器使各國行事慎重，提供了高度的安全感，它強迫促成各國間的大體平等，它締造了相當明確的相對權力，凡此種種核子武器的和平效用全告消失。

2. 由現已擁有者獨占：這個局面同樣不可能，因為如此一來，目前尚無核子武器的國家永遠會被已有者所威脅。

3. 進一步擴散核子武器：這個局面雖然危險，但可能是維持歐洲大陸穩定的最佳希望。關鍵在於如何妥為管理。其中以德國的情形最重要，德國如無核子武器，必然感到不安全；德國感到不安全，便會擾亂歐洲的安寧。但核子武器進一步擴散，會使一九六八年核子不擴散條約失效。

前述分析雖然以歐洲為限，事實上可以適用於其他地區。米爾歇默的建議「妥為管理核子武器的擴散」說說容易，執行起來恐怕困難重重，而且非使用政治外交的手段和技巧不能成事。其實說穿了，武器始終就是政治的工具。

四　美國如何自處

冷戰即告結束，共產主義的狂潮正在消退，身歷這一歷史的新局，美國政界與言論界似乎不無功成身退的悵惘。對峙已久的敵人抽身了，反而在短期內產生手足無措之感。蘇聯如果不成其為美國的威脅，那它是什麼呢？今後美國的國家利益何在？如何界定？由於對抗的不存在或程度減低，美國這個西方世界的盟主還能、還有必要當下去嗎？於勝利中隱退，在美國歷史上並不缺乏前例。

一九五〇年初期，也就是冷戰萌芽期，美國政界和學術界曾有一場現實主義與理想主義的爭辯，持續很久，而且影響深遠。最近，類似的爭論又隱約重燃起來了。Realpolitik 與 Idealpolitik 等詞的出現率突然增高，可以見出端倪。五〇年代的辯論，由於美國採取了圍堵策略，事實上是現實主義佔了上風。但圍堵政策一向被視為係達成目的的手段，現在手段即已生效，則今後自應以擴展目的為重點。此所以

有人表示：基於地緣政治的現實主義，已為重視人權的理想主義所取代。

如何因應當今世界所面臨的革命性變化？這項討論的結果當然會對美國外交政策的形成有所影響。美國究竟應該強調道德性的關懷，重視基於民主觀念的人權理想－可以眾議員索拉茲為例；抑或是以地緣戰略的現實考慮為重－前國務卿季辛吉一九八九年八月一日刊於華盛頓郵報替中共六四天安門事件辯護的文章即為一例；影響及於美國外交政策的走向。本文不擬深入此一爭論，也無意探討誰是誰非。但有一點必須特別指出，即理想主義者與現實主義者異中亦有其同，那就是雙方都強調重新正視美國的內政問題。Come Home , America ，成為雙方的共識。對於最近中東發生的科威特被併吞事件，保守派專欄作家布劍南（Patrick Buchanan）就認為，為了汽油價格每加侖增加幾分錢而出兵中東，乃是對國家利益的誤認，並不值得。保守派而有此論，國人或有訝異之感，其實這是美國政治上的一項傳統，只要研讀華盛頓辭去總統職位的告別演說，即可了解其來也有自。理想主義者則是認為，唯有把內政做好，使美國成為真正的民主政治的典範，才能在全球各地推展民主與自由。

「外交是內政的延長」，大家耳熟能詳。但在美國，前眾議院議長歐尼爾不時強調的「一切政治都是地方政治」，似乎更接近真實。民意與選舉，對美國的外交政策有一定程度的影響。一九八七年蓋樂普機構替 Times Mirror Company 所做的民意調查顯示，百分之七十的美國人自認為強烈反共，且多數認為武力強大才是和平的保障，足以顯示即使在冷戰鬆動的情況下，反共仍然是美國人的基本價值觀念。不過一九八八年三月 Americans Talk Security 這次民意測驗，卻顯示美國人的態度多少還是有所改變。被問及美國最大的威脅究係來自軍事敵人如蘇聯，或來自經濟敵人如日本，百分之五十九的人認為經濟威脅大，百分之三十一的人認為軍事威脅大。根據這次民意調查，美國國家安全的優先次序為：防止毒品氾濫、減少貿易赤字、裁減美蘇軍備、防止中南美共產勢力的擴張、防杜蘇聯勢力。這個優先次序與一九八〇年代雷根競選總統時來比較，其變化不可謂不大。

平心而論，民主黨與共和黨都很反共。民主黨總統甘納迪、參議員賈克遜（Henry Scoop Jackson）之堅決反共，盡人皆知，但在全國大選時，共和黨一向能以反共為號召，而民主黨卻因為內部分為反共與反反共－非共，時常給予共和黨可乘之機。如今反共的相干性降低，可能使民主黨獲得良機以促成黨內團結的新氣象。國際共產主義的衰退，使得美國國內政治面臨一個新局面：反共既已不再是核心的動員原則，那麼美國的政治體系今後當如何運作？比較中肯的觀點大都認為，對於追求刺激、啟發和改革的美國選民來說，推展民主可能更具有實質而長久的吸引力。因此，在美國國內政治上取反共而代之者，尚非經濟上的民族主義，而是在全球各地擴展民主。目前已有論者指出：若說一九八〇年代是市場年代的話，那麼一九九〇年代可能變成民主年代。不過外交季刊的總編輯 William G. Hyland 則針對這個趨勢提出警告說，推展民主固然是值得讚佩的美國雄心，但也可能成為危險的政策指導。如果不加區別地予以貿然適用，這樣一種政策可能於一九九〇年代帶來種種干涉，有如冷戰時代的反共政策一樣。優雅的紐約客雜誌最近也在評論中指出，冷戰時期美國外交政策之悲劇不在它之挑選敵人，而在它之挑錯朋友，以致在實際上和道德上再三地傷害自己。該刊並進一步表示，今後美國的外交政策，要能做到下面這點，即一名殘忍而危險的獨裁者，再也不能因為他是「敵人的敵人」就變成美國的朋友，如此才算有所成就。話是不錯，但在敵我意識日益模糊的情況下，如何正確認定誰是敵人，恐怕並不是一件輕而易舉的事。

隨著冷戰的結束，美國在世界政治舞台上的地位有何變化？超級強權的身分還能繼續保持嗎？蘇聯似乎失去了超強的地位，美國會不會成為碩果僅存的唯一超強呢？學術和輿論界的看法似乎並不樂觀。前駐聯合國大使柯派垂克諄諄奉勸美國人應該有此認識，即冷戰之後，美國僅止是一個強國，而不是超級強國，尼茲則把美國日後的角色界定為國際關係上一名「誠實的掮客」（An Honest Broker）。未來的發展是否如此，當然無人能預料。然而，與其去嘲笑美國人之缺少雄心壯志，還不如去欣賞他們之能與時並進，「因時為業」。

——《美國時報週刊》，1991年3月9-15日

橫逆歷史・扭轉乾坤

《國家評論》宣揚保守思想，在創刊之初尚違反時代潮流，經過卅五年戮力奮鬥，終於扭轉了乾坤。

在雜誌出版史上，幾乎完全以個人的力量，獨自撐持一份政論性的刊物，長達三十五年，而其影響不僅改變了一般民眾的觀念，而且還進一步左右了政府的政策方向，這種情形在美國即使不是空前絕後，也應該算是一項異數。美國保守派主流的首要刊物——《國家評論》（National Review）雙週刊，就是極其突出的實例。

首先必須從創辦人巴克萊（William F. Buckley, Jr.）談起。巴克萊一九二五年生於康乃狄克州的一個天主教大家庭，兄弟姊妹共有九人。第二次世界大戰末期任陸軍少尉兩年，戰後從一九四六年至一九五〇年就讀耶魯大學，以榮譽生畢業。在學時，對校園內瀰漫的自由主義氣氛深表不滿，於是寫了《耶魯的上帝與人》一書，出版後聲名鵲起，是當年標準的美國青年才俊。巴克萊畢業後到American Mercury雜誌當過一陣編輯，不久就萌生了自行創業的意念。

刊物正式出版前的一年，巴克萊四處奔走募款，當然最重要的是取得他父親的支持。他父親是一位白手起家的富豪，有人估計，一九五八年時他父親的資產當在一億美元以上。在發起通告上，巴克萊表示要用自己生命中十年的光陰投入國家評論這份刊物，他父親鄭重其事的告訴他：十年未免太過份，如果你決定這一生還想再幹別的事，那可怎麼辦？可見打從一開頭，他就抱有敬業與執著的理想。另外有下例也值得一提：一九七〇年，巴克萊的一批好友們，曾經熱心地鼓動他競選紐約州長，然後再向白宮進軍，他的答覆主要有兩點：一是

自己曾經選過紐約市長，只得到百分之十三的選票，這種成績如何能對規模更大的普選過度自信？二是既然親自主持國家評論的編務，那裏還有時間去選州長？第二個理由使友好們為之默然。話雖俏皮，但以刊物為一生志業的精神，卻不由得不令人欽敬。

其實，在美國這麼多刊物當中，國家評論並不以量取勝。一九五五年十一月十九日創刊號出版時，訂戶兩千人，印數七千五百本。一九六〇年五週年時，每期銷售量約四萬四千本，一九六〇年代中期至一九七〇年代，大約是十萬出頭，一九九〇年夏末達高峰，銷售為十五萬本。比起時代週刊，新聞週刊每期動輒四、五百萬本，固然瞠乎其後，甚至與紐約客、哈潑、大西洋月刊等每期六、七十萬本的印數相比，也實在有所不如。在財務方面，多年來也多要想方設法，巴克萊不時還得自其他投資與事業所得（如主持電視節目、出書等）來挹注這份刊物。據巴克萊自己在卅五週年慶宴上所述，他是刊物的老闆，股票為其所有，但這些股票在商業上的價值，大概與內戰期間南方邦聯所發的公債等值。國家評論在營業上並不出色，其成功別有所在。

一九五五年年尾，國家評論初創刊時，巴克萊的發刊社論中便明白指出：該刊旨在「橫逆歷史，大聲喊停，這個時代沒有一個人有意這麼做，或者說對於想這麼做的人沒有多少耐心。」做為一份宣揚保守思想的主流刊物，在當時根本是違反潮流的。著名的保守派專欄作家喬治．威爾（George Will）舉出兩則小故事，藉以說明當時的風氣。某君因為妨害公共安寧而被逮捕，作證的人表示「此人語無倫次，一直亂罵過往的人是保守派等等」；另外一個故事是紐約某街頭幫派，為了取一個令人聞之心驚的幫名，捨龍牙幫、報仇天使等名不用，反而取了一個簡潔了當的保守派為名。這兩則小故事不無過份渲染之嫌。但名小說家湯姆．吳爾夫（Tom Wolfe）也說，巴克萊創辦國家評論時，人家以反動派目之，把他當魔鬼看待。

當然，即使是回憶往事，也難免參雜黨派的成見在內。對於左派和自由派來說，一九五〇年代初期，正是麥卡錫在參議院主持調查委員會的時代，「共黨同路人」所引起的恐懼，才是那個時代的氛圍。但麥卡錫一九五七年盛年即逝，雖然已在美國歷史上留下刻痕，畢竟不是主流。就事論事，美國的學術界和輿論界，自第二次世界大戰末期以迄一九七〇年代終，確實是自由派當道的時代。此所以傑出的文學家如 John Dos Passos，政論家如 James Burnham，由同情共產主義轉向保守主義以後，多遭學術與言論界排斥而被孤立；林語堂於一九三〇年代末期出版吾國與吾民、生活的藝術等作品，一時洛陽紙貴，名列暢銷書榜甚久，如日中天，抗戰期間返國一行，回美後出枕戈待旦為國民政府執言，立刻被自由派和左派打擊，從此再不熱門，後來他寫了匿名做為總答辯。這些也都是確曾發生的事實。國家評論就是在這種反潮流的態勢下誕生的。

二十世紀全球各地的知識份子，很少不受一九一七年俄國大革命的影響，美國自不例外。華盛頓雖然拖了十餘年才正式承認蘇聯，但共產主義的思想卻逐漸成為不少知識份子馳騁其想像力的材料，而且往往進而變成這些人投身於行動、企圖改造社會的藍本。第一次世界大戰以後，美國文藝界的部分精英——所謂「失落的一代」，留寓巴黎者為數不少。一九三〇年代末期西班牙內戰，西方知識界大都偏向共和軍，反對佛朗哥，且有人親自投入戰場甚而犧牲性命。其後第二次世界大戰發生，中期以後蘇聯成為英美的盟友，透過這些事態的演變，美國知識界的精神面貌已漸漸成形。

然而，即使是在成形的過程中，也多少已暴露了共產黨的黨組織對個人的諸種控制，以及許多違反人性的劣跡。西方知識份子早於西班牙內戰的體驗中親嚐其滋味，名小說家亞瑟．柯斯勒（Arthur

Koestler）的傑作「正午的黑暗」即淵源於此。後來史達林的鐵腕統治，連同其清算異己的血腥暴行，尤其使一部分人開始對共產主義由崇信而生懷疑，但這時也有不少人卻寄希望於托洛茨基——此人雖為紅軍之父，但其知識力也極高強，頗富吸引力，托氏與史達林爭權失利後流亡墨西哥，史達林趕盡殺絕，派刺客用利斧將托氏砍死。許多原本沉醉於共產迷思中的左派知識份子，在飽經滄桑之後，遂嚴肅地重新反省，其中不少人從此摒棄共產主義，回歸西方社會原有的宗教信仰與自由民主的理念，這些人就是所謂的「前共產黨人」（ex-communist）。在當時的整個大環境中，這些人畢竟還是屬於已覺醒的少數，但是他們有話要說。國家評論在一九五五年底創刊，正好提供這批人一個施展的地方。我們只要一查該刊早期所網羅的編輯群及主要撰稿人，便會發現其中不乏「前共產黨人」，著名的如Max Eastman, James Burnham, Whittaker Chambers, Will Herberg, John Dos Passos。這些人本來在文藝界、言論界、學術界已有相當名望，他們的加入，不僅使草創時期的國家評論能於短期內建立起相當的地位，而且也強化了該刊反共的基調。如果沒有這批人的鼎助，則單憑巴克萊一個三十歲左右的青年乃是無力回天的。

做為保守派主流的首要刊物，國家評論的基本立場可概括如次：批判自由主義或自由派、反對共產主義、信仰有神論、認可資本主義。在該刊迄今為止，卅五年的歷史中，也產生許多分分合合的現象。

自由主義一向是美國的主流思想，誠如路易士．哈茲（Louis Hartz）在《美國的自由傳統》一書所顯示的，它乃是主導美國的意識型態，遍佈社會各階層，無所不在。但也是自由主義的傳統孕育了美國的保守思想。國家評論的雄心，消極方面旨在矯正自由派的偏失，積極方面則是有意超越它並取而代之（巴克萊有一本名著書名就叫《超越自由主義》)，使保守思想躋身成為美國社會、政治、經濟思想的主流。其實，自由主義與保守主義之間的分合恩怨，本來就不容易理清，對於並非長久浸潤在英美自由民主傳統的國人而言，尤其很難有深入的理解。大體上講，英國十八、十九世紀的古典自由主義，就是今天所謂正統保守派的基本觀念；而今天所謂的自由派，則多少已偏離此一基本觀念，而加入為數不少的社會主義成分。不過，區別自由派與保守派的分際，與其說是基本概念方面的理論爭執，還不如說是政策措施上的途徑不同。

反對共產主義是國家評論在意識型態戰場上的一面大旗。該刊視共產主義為二十世紀最邪惡的思想體系，是人類文明的最大威脅，因此美國政府從韓戰開始所採行的圍堵政策，在他們看來，便未免過於軟弱，以此而不時予以抨擊，一再呼籲必須更積極而堅定地採取反共的立場與措施。該刊是自始至終為麥卡錫參議員辯護的少數言論刊物。但對於那些神經過敏、動輒從陰謀論或動機立場上懷疑別人是共產黨的極端反共派，例如約翰．柏區學社（John Birch Society），國家評論則與其劃分界限，不稍假藉。柏區學社的創辦人羅伯．韋爾區（Robert Welch），曾公開指責艾森豪總統是共產黨，該刊保守派哲學家羅素．柯克（Russel Kirk）便用四兩撥千金的輕鬆語調說，「艾森豪不是共產黨，他是打高爾夫球的人。」（Eisenhower isn't a Communist-he is a golfer）一時傳為趣談。

名噪一時的俄裔女小說家安．蘭德（Ayn Rand），國家評論與之始而相友，終而交惡，也頗足以說明該刊的立場。蘭德不論是在小說（如*Atlas shrugged, The Fountainhead*）或論文內，均一再宣揚她所主張的客觀主義觀點，認為人人為己才是道德的基礎，自我犧牲根本就是邪惡——現代集權暴政即緣此而生。但該刊認為這不啻是無神論，況且過度強調物質上的自我利益，會促致非人性化，而且忽視了人心與

靈魂的奧秘。國家評論由於創辦人巴克萊是天主教徒，因此宗教立場也偏向天主教義，但八〇年代末期，該刊宗教方面的編輯由著名天主教思想家麥可．諾瓦克（Michael Novak）改為基督教牧師理查．尼豪斯（Richard J. Neuhaus）擔任，似亦交接圓融，相安無事。由於早期偏向天主教，國家評論之認可資本主義（或更嚴格講，民主資本主義），也是經過一段歷程才達致的。另一方面，對於極端自由放任的一派（即所謂Libertarian）——此派反對任何政府干預，包括政府之禁止毒品交易在內，認為此舉違反個人的自由選擇，經濟學家莫瑞．羅斯巴德（Murray Rothbard）可為代表——國家評論也保持相當的戒心與懷疑。上述這些實例，可以看出在巴克萊主持筆政之下，國家評論的基本立場確係有所為而有所不為，不因堅持理想而妨礙了思想境界的成長與成熟，也因此多少避免了淪入教條化的僵滯。

在晚近的美國政治史上，一九六三年高華德參議員成為共和黨總統候選人，以及一九八〇年雷根州長當選美國總統，這兩件大事最能彰顯國家評論的功業。高華德以保守立場而獲得共和黨的提名，可以說是以羅斯福為主導的自由派當道以還，保守派第一次力量大團結的表現，國家評論居功甚偉，連高華德的競選名言：「為了捍衛自由而走極端，並非罪惡；為了追求公道而多所節制，並非道德」（Extremism in the defense of liberty is no vice, moderation in the pursuit of justice is no virtue.），也是出自目前仍為該刊撰稿的哈利．約華（Harry Jaffa）之筆。這次選舉高華德慘敗給民主黨的詹森總統，但是這位首先提議美國自越南撤軍的參議員，卻是保守力量正要興起的象徵，他個人後來則成為美國元老政治家的表率，論者有謂詹森贏得選擇，高華德贏得民心。更重要的是保守力量不因此次挫敗而消退，反而變成共和黨內最不可忽視的一股政治實力。雷根的政治生涯就是從替高華德助選而獲得共和黨內部的重視，同時也因此而在全國傳播媒體上頭角崢嶸。雷根自承是國家評論的忠實擁護者，幾乎每期必讀，該刊似乎也當之無愧地認為雷根之所以入主白宮，該刊不無貢獻。學術界對雷根這種知識分子氣息不濃的政治人物，一向缺乏好感，但不容否認的，雷根確確實實係扭轉美國歷史的領袖，猶之乎一九三〇年代的羅斯福總統一樣。自雷根而後，美國政治、經濟、社會的趨勢，基本上是沿著他所定位的方向往前發展。持相反立場的自由派經濟學祭酒約翰．蓋博瑞斯（John Kenneth Galbraith）就曾明智地表示，保守趨勢並非一個短暫現象，它是會持續下去的。國家評論三十年來所戮力以赴的，應該說是大體達成了。

至於在國際政治層面的影響，由於受到語言及文化背景的限制，亞洲國家除了極少數受過英美高深教育的社會精英，或有可能留意國家評論之外，一般而言，學術言論界恐怕對這份刊物所知不多。該刊的影響主要還是見之於歐洲。國家評論多年來闡揚的反共觀點、宗教情操、民主資本主義的創造力與倫理價值等，在西歐國家內起了制衡左派思想的作用，同時也鞏固了保守陣營，英國的柴契爾夫人，西德的柯爾總理，都是保守型的政治人物，法國的密特朗總統雖以左派社會主義的旗號當選，但執政後不出幾年，卻也顯然轉向了。在東歐共產國家陣營內，該刊的言論則成為對抗共產政權的思想基礎，有一則典型的國家評論式笑話，波蘭由團結工聯執政以後，內部有所爭論，其焦點不在究應採行資本主義制度或社會主義制度，而在於到底是採納海耶克（Frederick A. Hayek）或弗里曼（Milton Friedman）的觀點——這兩位均是著名的保守派經濟學家。一九八九年十一月九日，柏林圍牆在實體上和人心上均被推倒了。共產主義者喜歡講「歷史的貨車」一詞，小說家湯姆．吳爾夫借用這個名詞，生動地表達了他對國家評論扭轉乾坤的崇敬，他說：在駛進柏林圍牆的「歷史貨車」中，一列一列車廂裡頭所存放的知識與道德上的行李包裹，許多是屬於與國家評論有關的諸君子的，而其中巴克萊本人又占了大半！

一九六二年，巴克萊曾經訪問臺灣、金門，並在國防研究院演講，題目叫「福爾摩沙會解放美國嗎？」後來收入其所著Rumbles Left and Right文集內。講詞中指出，第二次世界大戰後美國外交政策的失敗，不是「被出賣」或被共產間諜「顛覆」的問題，而是在於當政的自由派不了解現實，對共產主義過於姑息與退縮，以為共產主義之所以能夠奪權，全是該國內部先已腐化之故，誤認所謂「變化」也者乃是變向共產，絕無背離共產的變化，對當時中華民國的反共決心深致欽佩之意，美國或可從中華民國堅決的反共意志中有所領悟，因而從自由派的迷思中解放出來。巴克萊的訪問和見解，對當時身處臺灣的國人來說，當會有雪中送炭之感。記得約在一九八〇年代初，巴克萊曾在「火線」節目上訪問哈佛大學的費正清教授，節目一開頭，主持人即一字一字地唸出費氏於中國大陸文化大革命初期所發表的讚美詞，費氏認為「文化大革命乃是有史以來所曾發生在中國的最美好事物」唸畢即質問費氏目前是否仍然如此認為，費正清也辯才無礙，他表示中國一向很難理解，文革期間大陸一團混亂，外頭的人如何能夠做出精確的判斷呢？其實在中國人看來，這乃是一項遁詞，既然中國這麼難理解，何以下結論時又如此草率而斬釘截鐵呢？在中國問題上，巴克萊的反共立場是一貫而又堅定的。

以反潮流或反傳統為職志的刊物，其文風往往顯出攻擊性特強，甚至等而下之出現語言暴力的傾向。國家評論幸好沒有淪入語言暴力的陷阱。但與其他刊物比，該刊顯然比較常用冷僻、孤傲的字眼，語調諷刺與尖刻兼而有之，對於國人而言，閱讀起來比時代週刊、新聞週刊等更加難懂。如果該刊的伎倆僅止於此，那是很難發揮廣大影響力的。在美國的大眾文化中，有趣（funny此字在當今美國人日常生活中佔有絕高的地位）是語言文字得能普及的必要條件，現任美國副總統丹·奎爾在其卅五週年祝詞中提到：國家評論說明了「嚴肅與有趣、複雜與簡單、尊重傳統與打破傳統是有可能同時併存的」，可稱是中肯的評斷。此外，目前活躍於美國報刊、電視等媒體上的專欄作家，巴克萊不計，他如George Will, Patrick Buchanan, Garry Wills, Jeffrey Hart, Joseph Sobran, John McLaughlin等，全是頗為響亮的名字，他們都是國家評論培養出來的，透過這些人，該刊也在相當程度上左右了美國的言論文化。

二十世紀的美國雜誌業界，頗出了一些以創辦人而又長期兼主編政的大人物，其中最著名的如時代系統的亨利·魯斯（Henry Luce）、讀者文摘華理斯夫婦（Dewitt & Lila Wallace）和紐約客雜誌的哈羅·勞斯（Harold Ross）。魯斯的地位特顯崇高，不僅因為時代系統在雜誌業的霸主地位，其個人的政治影響力無人能及，同時他旗下的一系列刊物也是業界的圭臬，甚至可以更改美國英語的寫法與標點；華理斯夫婦則以擅於掌握一般大眾的通俗品味見長；勞斯則是作風獨特的怪傑，經常口吐粗言，曾以「作家一毛錢一打」的話痛詆只會寫文章不會辦事務的名作家，但美國主要的小說家、散文家，卻絕大多數出身紐約客雜誌，不勝枚舉。國家評論的巴克萊，或許也可以躋入這些全已作古的名人行列，但其間卻有一點很不同的地方，那就是上述三人雖均長期主持編政，但絕少具名寫文章，巴克萊則是本身極為多產的作家，專欄、時論、小說、航海記遊等，作品豐富。但也因為這樣，使得國家評論這個刊物充滿了他個人的色彩，不說別的隨手取出一本國家評論來翻閱，最常遇到的字眼就是巴克萊的英文名字，或其縮寫WFB，廣告上如此，文章內也如此。這種情形對刊物是好是壞，恐怕見仁見智。不過，連其論敵自由派的蓋博瑞斯也認為巴克萊文采粲然，足堪欣羨。但思想史家約翰·狄金斯（John P. Diggins）則批評巴克萊，說他「寫得太多，讀得太少」。

的確，巴克萊這位「明星知識份子」頗富文才，所用英文辭彙特廣，行文有趣、幽默、尖刻，但這還只是他的一面而已。另一面得從他主持電視節目及公開演講中見出。他是天生的雄辯家，但又不是那種伶牙利齒、唇皮油滑的所謂名嘴，而是以機智取勝，有時甚至略帶口吃。他主持電視節目「火線」的情形，已然成為傳播界的一景。在鏡頭面前，巴克萊兩腿交叉，半躺半坐，氣定神閒，手夾一隻鉛筆，膝上擺著一本黃色拍紙簿，一把在他的年紀不當這麼長的頭髮波浪似地向後捲，滿臉貴族氣，說話語音稍嫌渾濁，開口講笑話之前舌頭像蛇一樣在唇邊閃現，抓到對方的把柄時，臉上顯現詭譎的微笑，雙眼突然張大，這個形象，已經烙印在難以計數的觀眾腦海中。猶有進者，巴克萊在「火線」開播二十年特別節目中，請了許多他的自由派論敵來致詞，其氣度之雍容，足資矜式，而其論敵們不因觀點對立而對他失去尊敬，這種胸懷同樣令人感佩不已。這對習於「意見不同就是反對，反對就是打倒，打倒就是打死」此種思考方式的國人來說，才是最最值得師法的地方。

三十五年，對一份刊物來說，已不算短。巴克萊自創辦以來，已經把一生的精華時光盡萃於此，從孤獨的奮鬥演變成一股人人不能忽視的思潮，應該是足以自豪的。「誰識浮雲知進退，才成霖雨便歸山」（王安石詩），果不其然，巴克萊在卅五週年慶宴上發表告別演說，正式辭去國家評論總編輯的職務，改任顧問性質的Editor-At-Large。今後將由來自英國的約翰．歐蘇里文（John O'Sullivan）主持筆政，發行人一職已於兩年前由威克．艾力生（Wick Allison）擔任。在一個影響力無所不在且具感召精神的領袖之後接辦其事業，新人內心之戒慎恐懼，自可想見。該刊日後會有什麼重大的變化，短期內自然不易察覺。海利．唐納文（Hedley Donovan）繼魯斯之後接掌時代系統，起先也是如此，但過了一段時日之後，不僅有許多重大的興革，而且更能發揚光大。國家評論的發行人艾力生最近表示，該刊過去是黑暗中的一支燭光，在自由人民以及尚在摸索追求自由的人民心目中，乃是一座燈塔，今後該刊將矢志使火光永遠燃燒。

人壽屆時而盡，刊物生滅無常，惟願自由的火炬永不止息。

——《美國時報週刊》，1990年11月24-30日

律師吃垮美國社會

美國人好訟成習；昂貴的訴訟體系每年吃掉國民生產毛額的十分之一。

為了矯正訴訟爆炸帶來的社會弊病，美國司法界正力圖司法革新。

有一則笑話說，美國人只分成三類——原告、被告和律師。笑話自不能當真，卻生動地點出了美國社會的一個主要特性。

律師普及影響深遠

美國社會的人際關係，契約可算是最重要的一個準則。大自政府與人民權利義務的規範，小至日常生活中人與人的來往，均與律師業息息相關；同時，律師對社會的影響力，也絕對不容忽視。例如，買賣房屋、重大車禍或醫療糾紛發生時，律師很可能遊說事主打官司索賠；甚至士兵以不公平待遇為由控告國防部；高中畢業生求職未遂，控告學校與教育局未妥善施教的案例，也確曾出現。

在臺灣，律師公會，往往隱身在大樓內不起眼的幾間辦公室；但在美國，像樣的同業公會，例如美國商會、醫師公會、律師公會，卻是宏大的機構，規模跟臺灣的部會相當，甚至還有過之。以一八七八年成立的美國律師公會為例，其芝加哥總部員工約七百五十人，會員達三十六萬人，每年辦公預算為五千萬美元。

更具關鍵性的，是它在政治上的比重。以本屆國會為例，參議員有百分之六二是專業律師，眾議員中也有百分之四二。至於總統、內閣重要官員、各州州長、大都市市長、州議員等，出身律師者亦所在多有。

律師制度是民主社會不可或缺的建制，有人甚至把它美化為人間正義的化身。但在目前，美國的律師卻日益成為被人詬病的對象。

布希總統眼見美國在經濟上的競爭力漸趨衰退，特別設立了一個「競爭力評議會」。該會約集專家學者成立司法改革工作小組，由司法部重要官員任召集人，經過長期的研討，終於提出相當詳盡的一份報告，建議事項多達五十點。

談競爭力，卻提出司法，其重心何在，可以說顯而易見。的確，律師制度已成為美國在全球市場上與人競爭的主要障礙；換言之，律師業的社會成本太高了。

律師界的三多現象

當前美國律師體系的毛病，歸納起來可分為三大現象：律師太多、訟案太多及費用太多。

目前美國執業律師約七十三萬人，根據律師公會的估計，到本世紀末，將高達百萬人。現有的律師人數已占全球律師總數百分之七十。律師占全美白領勞動力幾乎近百分之五。相形之下，日本人口約為美國的一半，而其律師僅占勞動力百分之一弱。

而以民事訴訟為基準，一九八九年全美有一千八百萬訴訟案件，平均每十個成人有一個涉及訴訟。雖然還沒有達到「全民皆訴」的地步，但有識之士譏之為「訴訟爆炸」。

由於好訟，個人與商家直接用於訴訟的費用，連同因此而引起的保險費提高，每年計達八百億美元。如將其他間接成本列入，則高達三千億美元，約為臺灣全年貿易的兩倍有餘。

德州大學財政學教授麥基的研究顯示，一九八〇年代，幾近巧取豪奪的訴訟費用，使美國的國民生產毛額減少將近百分之十，平均每一名律師的社會成本為百萬美元。如拿律師占白領勞動力比率之上限與下限國家對比，律師業對經濟成長的負效應尤其明顯。智利、烏拉圭、美國屬上限（即占約百分之五），自一九六〇到一九八五年間，上限國家的平均每人總生產成長率低於百分之二；而同一期間，日本、香港、新加坡等下限國家（即低於百分之一），其經濟成長率要高得多。

引發經濟成長負效應

然而，直接的成本還比較容易取得數據，間接的成本卻很難。但間接成本的重要性有時更不可低估。諸如為了訴訟而花在你爭我辯上的寶貴時間和人力；為了減少法律上的糾纏，以致於把新產品、新技術扣住不曝光，等法律細節澄清後再宣布，因而失去市場與商機。

律師業係屬服務業，對人身、財產與收入給予法律性的保護，原為其傳統功能，但晚近的趨勢卻說明，律師業已脫離此一傳統的傾向，愈來愈涉及財產與收入的重行分配。而基本上，經濟成長與財富累積是製造出來的，不是分配出來的。從這個角度看，律師業愈是涉足重行分配，對經濟成長的負效應愈嚴重。

為什麼美國的律師體系竟變成如此昂貴的制度？

由於訴訟案件太多，一旦有個新案遞入，必然拖延甚久。一方面是法院案積如山，無法適時處理；另一方面是律師利用法律上的技巧枝節，故意予以延宕，以求有利己方。涉案人的財務、時間、精力上的負擔非常可觀。換個角度看，實即說明美國人一有糾紛或衝突，除了告進法院外，解決問題的其他管道未免太少了。司法改革工作小組的建議採「多門路的法庭」，簡單的說，就是鼓勵當事人多選擇和解或私了，而不必為了芝麻綠豆的小事便動輒興訟。

其次廣受批評的，是「事實的探求」，有人甚至認為百分之八十的問題出在這裡。凡曾涉及訟案者，不論其為原告或被告，大多知道，事實的探求很容易變成拖延或騷擾對方的有效工具。

敗訴一方付費的原則，也被深入檢討。改革小組提出實驗性的建議：一是敗訴一方所付費用，金額不得超過他支付本身案件的費用；二是在適用時，法官有自由裁量權。

最值得注意的是所謂「懲罰性損害給付」，其毛病在於無定規可循，而且也沒有公認的限度。

有人分析兩萬四千件有陪審團的審判，發現在一九六五至一九六九年間，此類給付的平均金額為四萬三千美元，而到了一九八〇至一九八四年，卻躍升為七十二萬九千美元。

這類案件對律師而言，最有利可圖，他們往往主動爭取辦案，提出天文數字的索賠。而隨著給付金額的驚人高漲，此類案件的出現率也從而激增，據統計，加州每十個訟案即有一案屬於此類。改革小組的對策為：在陪審團認定被告有法律責任以後，另以分開的法律程序處理賠償給付事宜；其次，由主審法官設定損害金額，以不超過被害人所承受的損失為原則。

以上提到的建議事項，不過是改革小組報告中比較重要而精彩的部分。當然，任何改革建議均應求其可行，改革小組在這方面也頗多建言。有些必須正式立法才能執行的，顯然將會向國會提出。但它也考慮到如何落實至州、郡法院系統，這就需要從事相當廣泛的說服工作。至於行政部門，則將由布希總統發布行政命令，凡聯邦政府所屬機構涉訟者，即先行採納小組的建議，以為表率。

改革前景路漫漫

美國司法改革的前景如何？凡是牽動到既得利益階層的改革，總是困難重重，何況這次的對象，是在政治、經濟上享有莫大影響力的律師業；然而，改革前景固然不容樂觀，但似乎也不必完全絕望，因為這次改革背後的動力，是社會成本的考慮。美國既然是一個資本主義主導的社會，成本應是這個體系的關鍵理念，缺少了成本的考量，資本主義社會大概就無從運作了。

孔子「必也使無訟乎」的慨歎，實在是人類社會不可能出現的理想境界；對於好訟成習的美國人來說，尤屬絕無其事。但設法使整個社會「寡訟」，減輕全體民眾的負擔，進而降低社會成本，對於以選票為最後裁決的社會而言，至少是值得努力而有意義的嘗試。

——《遠見雜誌》，1992年6月15日

美國報紙的社論製作
——以芝加哥論壇報為例

美國主要報紙的社論，與國內相比，似有兩點特色：一是篇數較多，每天以三篇為原則，少則兩篇，多則四篇，國內報每日一篇，行之有年，近來才稍見變化；二是每篇社論遠較短小精悍，辭意明確，立場清晰。比如選舉期間，報社針對各級候選人，經過一番觀察分析，會於選前公開以社論支持某人——稱之為報社的背書endorsement，說明理由，絕不含糊。

在一份報紙裏頭，不論是報導、訪問、專欄、評論、投書或是轉載，都會有記者、作者的署名，或是註明採自那一個新聞媒體。唯獨社論，無分中外都是不具名的。主要是因為社論所代表的並不是個人的意見，而是整個報社的觀點。然而，也因為這樣，反而使社論部門蒙上些許神秘的氣氛，一般讀者對於社論的製作，不免產生好奇甚或「窺伺」的心理，想一探究竟。

公開編輯背景　開風氣之先

創刊於一八四七年六月十日的芝加哥論壇報，到今年初夏，即屆滿一百五十年。目前，每日發行量為每天七十五萬份，星期日高達一百二十萬份。不論就發行量或者影響力而言，均可列入全美前十名的大報。該報雖然是歷史悠久的新聞機構，但仍然不斷推陳出新，屢有令人注目的興革。今年元月五日，又開風氣之先，率先將社論版的製作，用簡要的文字予以說明，並將社論版編輯人員的背景，以及他們對自身職責的所思所感，公諸讀者面前，今後每年將循例公布一次。按芝加哥論壇報的社論，過去十一年間，曾得過三次普立茲獎，成績斐然。

該報設社論委員會，負責社論版，計有成員十一人，另有一位專人綜理讀者投書。委員會設主編一人，副主編一人，人員任務區分與資歷背景如次：

主編：N. Don Wycliff 曾任紐約時報社論主筆，以副主編升任。黑人（以下凡未註明者，均為白人男性）。一九七〇年入新聞界服務。他擔任主編的基本信條是：負責社論版的人，知識必須廣博，凡事都得懂一點，這樣才能於開會時，提出發人深省的問題，同時對社方同仁的立場與假設，方能有所針砭及琢磨。

副主編：R. Bruce Dold 負責政治領域的社論。高中時立志當小說家，可惜小說家無固定薪水，轉而改學新聞進報社。西北大學新聞學院畢業。一九九四年得普立茲社論寫作獎。

經濟與商業：Terry Brown 普林斯頓大學畢業，主修英文，伊利諾大學新聞碩士，天主教羅耀拉大學企管碩士。一九七〇年入行，擔任華爾街日報記者八年後，加入論壇報。

外交與法律：Stephen Chapman 哈佛大學學士，芝加哥大學碩士，本身是專欄作家。先於民主黨機關刊物「新共和週刊」任副主編，一九八〇年入論壇報。原先曾主理經濟方面的社論。

教育、婦女問題：Dianne Donovan 原為書訊版編輯。白人女性。密蘇里大學新聞碩士，芝加哥大學文學碩士。一九七九年進論壇報，在此之前，曾於兩家報社任職過，又愛爾蘭裔為歷年來芝加哥政壇主力，有關北愛爾蘭的問題，由這位女士擔綱。

環境、交通、運動與郊區問題：Ken Knox 現任負責人已於新聞界服務三十六年，在論壇報也已二十一年。西北大學新聞學院學士暨碩士。

公眾觀點編輯 Public editor：George Langford 芝加哥論壇報領袖群倫，於一九九〇年開始設置這一職位，目前美國已有六十家報社踵武其後。這是站在讀者大眾的立場，把讀者的意見反映給社論委員會，負責指出新聞報導是否公允、平衡以及適不適合刊登等問題。若有錯誤失實之嫌，則進行調查，如果屬實則予以更正。現任編輯已在報社工作三十一年。

拉丁語裔（西班牙語系）與拉丁美洲問題：Alfredo Lanier 古巴後裔。西北大學新聞碩士，印地安納大學拉丁美洲政治碩士。

評論欄編輯：Marcia Lythcott 黑人女性。威斯康辛大學麥迪遜校區學士，已在新聞界工作十八年。保守派、自由派、王八蛋、女性主義者、種族主義者、大企業、工會、白宮、報社老闆的走狗——這些封號不斷加諸她身上，她認為這正好說明她的確是在幹活。

都會事務：John McCarron西北大學畢業，也寫專欄。

政治、都市問題、種族關係、文化趨勢、社會變遷等（事實上等於一般評論，與其他人有重疊之處）：Clarence Page 此人係論壇報駐首都華盛頓特派員，為著名黑人男性專欄作家，其專欄每周有一百餘家報紙採用。一九六九年，自俄亥俄大學新聞系畢業即入論壇報工作，其間有四年轉往電視發展，目前仍經常出現在電視新聞分析節目中。一九八九年獲得普立茲評論獎。

民眾心聲Voice of the people（實即讀者投書欄）：主事人Jim Szantor 原任職於特寫部門長達二十二年，轉任現職兩年餘。他深切體認到，讀者才是報紙的「終極編輯」，是報社真正的「老闆」。讀者們藏龍臥虎，人才濟濟，即使有些投書時或稍欠客觀，但他們的專業知識和熱忱，足可彌補缺失。每天，大眾的函文如雪片飛來，塞滿郵箱和電子網址，絕無一刻沉悶。

前述這些業務區分，有的當然是屬於芝加哥獨有的地方特性，不同國家以及不同大都會區，均有各自的地域屬性，自應因地制宜，無需也無從仿照。

經由熱烈討論　以求得共識

社論委員會每星期開會四天，但並不採取民主投票制度，而是經由熱烈而詳盡的討論與辯難，以求獲得共識。一篇社論的立場，原則上應該讓社論委員會的每位成員，都覺得他們的知識與良心，業已受到尊重。從社論委員會成員的資歷背景來分析，很明顯地可以看出：每人都具備相當堅實的新聞教育和工作經驗，絕大多數出身名校，而且全部都是極為資深的新聞從業人員，在新聞界的平均工作年數高達二十五年左右。就族裔與性別的分布而論，大體尚屬平衡。芝加哥論壇報這次公開社論製作概要與成員資歷，雖嫌簡略，但事後卻甚受讀者所稱道，佳評不少。其他報紙是否跟進，還有待觀察。

秉持立國精神　崇尚自由民主

根據個人多年閱讀芝加哥論壇報社論的觀感，該報始終秉持美國的立國精神與基本價值，以為立論之本，崇尚自由、民主與人權。單就中國問題而論，如果在臺灣的中華民國政府，有偏離民主精神或新聞自由的傾向時，該報毫不客氣地大加撻伐，雖則我國駐芝官員與該報社論委員會成員交情篤厚，又何能左右其言論。同理，論壇報本乎前述精神，對中共政權的批評尤其不遺餘力，曾經有過在七天之內，以三篇社論痛詆北京的紀錄（一九九六年一月八、九、十四日），措辭嚴正，義無反顧！在香港問題上，中共口口聲聲保證香港回歸以後的繁榮穩定，該報卻一針見血地指出，經濟繁榮是不能用槍桿子頂著強迫使它發生的，遑論保證！其言論風采，類多如此。

主題與時俱進　多文化發展

隨著現代社會的演進，如今社論的主題，早已不限於政治、經濟、國防、外交、社會、教育文化等國家大事。芝加哥論壇報在這方面的表現，顯然也是與時俱進的。事關經國大計者，該報固然時常提出迅速而及時的評析：但對諸如使用行動電話危及行車安全等小事，也不時倡導新觀念，以就教於讀者。此外，社論寫作的風格與方式，亦多方靈活運用，不一定全以論說形式出之。自一九八八年起，九年來每逢十二月二十五日耶誕節，該報的頭條社論一律是重印〈當耶誕節降臨〉這篇文章（此一作法恐怕也是破紀錄的），從任何角度看，這篇社論實在是充滿感性的抒情文。偶而心血來潮，還特別邀請外稿當做「客串社論」guest editorial。

維持恰當平衡　直言無忌諱

去（一九九六）年二月二十七日，論壇報全美知名的專欄作家麥可．羅逸科（Mike Royko），發表一篇觸怒墨裔族群的文字，他以尖酸刻薄的語氣，諷刺墨西哥是一個「沒有用處的國家」，引起芝城本地西班牙語裔社區（佔全市人口五分之一）極大反彈。社區領袖發動大規模示威遊行，要求論壇報開除羅逸科，且公開在報館門口撕毀焚燒報紙，表達強烈的不滿。該報於三月六日針對這次事件發表社論，就專欄辱及墨裔人士一節，正式致歉，緊接著卻擲地有聲地表明：

> 我們刊出麥可·羅逸科的專欄並不致歉。……一份報紙，在它的時事專欄中必須直截了當，在它的社論中必須直言無諱，而且讓許多聲音尖銳地說出，即使明知如此一來，偶或造成令人不快的後果。

> 經營一份有活力、有用處而負責任的報紙，其訣竅就是：介乎大膽與謹慎之間，在不同的意見與對不同文化的敏感之間，每天都想方設法以維持一個恰當的平衡。這是我們的職志，固不因是否有人在我們大門前撕報紙而改初衷。

從老鳥到菜鳥　天天要學習

這次芝加哥論壇報刊布社論製作的概況，曾經提到：

> 對年輕新進的新聞從業人員來說，最難學的一件事是：如何使他們的意見保持於作品之外；對一位資深的新聞從業人員而言，最難學的一件事則是：如何把自己的意見放進去。

他山之石，可以攻錯。該報經過悠久歷史而得到的體悟，或許對我國新聞界不無參考價值。（一九九七年四月十二日）

——《新聞鏡周刊》，1997年5月26至6月1日

麥可．歐克俠的思想與風格

英國歐克俠以政治哲學名世，他使保守主義在學術思想上贏得尊敬；生前死後，都擁有崇高評價

臺灣的學術界，近幾十年來都取經美國，對歐洲包括英國的學者，似未賦予應有的重視。英國的國勢固然是今非昔比，但深厚的文化涵詠仍在，就人文學科和社會科學方面而言，本世紀真正具有原創力而能成一家之言的思想家，多數出身英國。去（一九九〇）年耶誕節前去世的麥可．歐克俠（Michael Oakeshott 1901-1990），就是佼佼者之一。

自一九五一年起，歐克俠接替鼎鼎大名的拉斯基（Harold Laski），擔任倫敦經濟學院政治系主任十五年。拉斯基曾任工黨秘書長，積極介入實際政治，新聞價值高，加上我國早期的政治學者與他有淵源者不少，如蕭公權曾闡發拉氏的思想，鄒文海則是入門弟子，張金鑑譯介其著作（商務版《政治典範》一書譯自*Grammar of Politics*），拉斯基的名氣久為政治學界所知。相形之下，既乏興趣也不涉身政事的歐克俠，便顯得陌生多了。

但是論及對西方學術思想的貢獻和影響，歐克俠比拉斯基又更勝一籌。早於一九三二年歐氏出版首部著作《經驗及其模式》（*Experience and Its Modes*），著名的歷史哲學家柯靈烏（R . G . Collingwood）便獨具慧眼見出其功力，讚譽這本書係「英國歷史思想的高水位標誌。」氣象含攝整個自由體制的經濟學家海耶克（Friedrich A . Hayek），晚年公開表示，他退休後想精心研究的思想家有三，歐氏為其一。（歐氏在政策上同情海耶克，但批評他把自由理想塑造成理論上膜拜的物

神）歐克俠去世後，每日電訊報稱頌他是「盎格魯撒克遜傳統中，自穆勒（十九世紀）、甚至是柏克（十八世紀）以還，最偉大的政治哲學家。」泰晤士報則讚揚，「使保守主義在學術思想上贏得尊敬，他是本世紀貢獻最大的人。」

生前死後，皆能獲得如此高的評價，誠屬不虛此生。其實，歐克俠本身學歷平平，青年時代曾赴德國留學，但最高學位只是劍橋大學歷史學士而已。學術生涯長達六十年，但著作以量而言卻很有限。跟具有原創力的許多英國學者一樣，歐氏作品不喜列書目，也不詳加註釋，篇幅往往不長，不時就學術演講稿彙集成書。（林毓生教授極為敬重的Michael Polanyi，風格類似，他即使列出書目，也以自己的論文和著作為主。作品短小精審，《未可明言的境界》*The Tacit Dimension* 一書，本文僅九十二頁，附註兩頁多一點）比起當今某些學者註解動輒上百頁，成書厚度宛如磚塊，形成強烈的對比。但學術價值可不是註解多寡、著作厚薄所能定奪的。

英國大學人文教育的傳統，師生之間的談話不可或缺。歐克俠喜歡也擅長談話，尤其愛跟女學生聊。他指導學生，常要學生自行提議從何人或那一部作品起手，一旦發現學生是歷史或哲學領域的可造之材，則一切規定都可拋諸腦後：原訂一小時的交談可能延長三、四倍。他與學生的關係介乎師友之間，深信教本身也是學，反對當一個咄咄逼人的老師（而是nonassertive型），認為與學生交談即是教育的基礎，而教育的宗旨則係學做人，饒有先秦儒家的精神。本乎此種認識，自然覺得教育與訓練乃是有所不同的。可惜今天各國大學教育的實況，顯然已走進訓練重於教育的歧途。

這種方式的談話，與蘇格拉底、柏拉圖的對話不盡相同，主要是少了辯證的成分。歐克俠一方面強調盡信書不如無書，另一方面也有意脫掉哲學的玄秘，他所重視的談話，重新回歸到古希臘談話的嚴謹含義。談話不是探討或辯論，無「真理」可發現，無命題待證實，甚至無結論可下。依他看，哲學家的聲音無非是人間眾多聲音中的一種而已。換句話說，他也以為身教重於言教，歐克俠舉出一個非常生動的比喻，他說，「野鴨不是因為呱呱的叫聲，而是由於牠的一躍而起，迫使群鴨隨牠而飛。」

《經驗及其模式》一書，奠定了他一生思想的基本骨幹。後來的著作，或則就該書有所釐清，或則是進一步加以發展及應用。歐克俠把人類的經驗分為歷史、科學、實用知識，以及後來反思後添加的詩歌（即一般所謂的藝術）等模式，他有時喜歡稱模式為人類交談的聲音。他筆下的模式（modes），取德文weise之義，指的是思想與行動的方式或做法（a way or manner of thought and action），係將觀念予以有系統地組合起來之謂（a systematic composition of ideas）。

在西洋思想史上，原創性的思想家傾向於觀照人類的整體表現，從其中精選一些抽象的意含，做為理論解析的工具。而其有效性，主要繫之於是否探得事物深層的本相、涵蓋的範域是否足夠廣包。對歐氏研究有素的Lee Auspitz指出，歐氏的模式，其中實用知識一節，人於實踐時即有可能同時或先後應用其他幾種模式，換言之，實用知識自成一個模式不無可疑之處。歐氏標舉的模式，當然是屬於學術研究上的理型或典範，並非各個模式可獨立具足而互相排斥。歐克俠自己也深為此一困惑所擾，後來曾就實用知識從事進一步的闡發，而在政治思想上有突破性的貢獻與成就。

筆者的淺見則是認為，歐氏的主要經驗模式似乎漏了宗教或信仰這一模式。根據Andrew Sullivan的解釋，歐氏並非忽略了宗教，而是因為宗教或信仰對他而言，太過於奧妙、太重要了，他本人又是嚴守「知之為知之，不知為不知」學術自制分際的人，因此終其一生，歐克俠似乎對宗教保持長期沉默且無定論。但他偶而半嚴肅半開玩笑地表達的見解，倒也相當引人深思。他發問道：「畢竟有誰真的願意得救？」（After all , who Would want to be saved ?）依他看，上帝可能比較喜歡我們的本來面目，人有缺陷才有情趣，何況如無缺陷何來真愛——不論是人彼此之間的愛或人與神之間的愛。這是相當練達而富有人情味的觀點。林語堂說，「我們人都是有罪的，但我們也都是可以被寬恕的。」實有異曲同工之妙。

一九六二年，歐克俠出版《政治上的理性主義》一書（*Rationalism in Politics and Other Essays*，此書有日文譯本，日本人對西方學術的研究，應該令國人慚愧）。他的主要觀點是，過去四百年，雖然理性主義在西方當道，但流弊頗大，他認為其缺失在於對於凡屬技術性的、預先計畫的、可以予以合理化的以及科學性的（依他看，這是出於對科學模式的誤解）事物，人們過分誇大其所信。用比較通俗的話來說，就是過度自信於人類的理性。歐氏自然深切理解這些缺失，但他並無現成的藥方，他的對策主要分三方面：一是分散權力，俾使政府、工會和大公司等不至於胃口過大而想獨霸，從而受到限制：二是堅持以法而治（rule of law），保障財產權與結社權，使人民得能追求自己所選擇的美好遠景，而不是去追求集體強加於個人的遠景；三是堅持寬廣的教育觀點，反對理性主義那種以訓練人力和教條薰陶為重點的狹隘觀點。

經過四十年的反覆思考，歐克俠於一九七五年刊行《論人的行為》（*On Human Conduct*）這本重要著作，《霍布斯論公民結社》（*Hobbes on Civil Association*）一書也於同年問世，對《經驗及其模式》書中的「實用知識」有所修正，改稱之為「結社模式」（mode of association），其中以公民結社（civil association）與企業結社（enterprise association）較為重要。歐克俠認為：公民政治所接受的不是一套共同目標，而是一套共同承認的規則系統（Civies accept not a set of common aims but a commonly recognized system of rules）。這恐怕是政治思想史上極為重要的突破。有了這一認識，則民主政治與專制極權之間的分野，便顯得判然分明。把這個原則適用到中國的國情，那麼民主政治之難以生根，也就可以取得進一層的理解。國人傳統上歷來喜談團結合作、上下一心，講的全是共同目標，而不是規則系統。「同舟共濟」這類的成語，「同舟」是事實上的認定，而談到「共濟」，則到底是目標重要還是規則重要？淆亂了程序，有可能邁入目標嗎？國人在這方面恐怕未嘗深思過。公民結社的觀念，可以說是歐克俠政法思想的礎石。

在《論人的行為》書中，歐克俠把他的模式觀念延伸到以法而治。他以為，法律乃是一個自我連貫、自我確認的世界，根據一套公共狀況（即共和政權），公民彼此之間以法律為語言而從事政治交往。以法而治所要求者，無非就是一個由形式上平等的公民所組成的群體，他們理解到法律有其權威，承認他們有遵守法律的義務，也贊同有關執行、修改與解釋法律的程序。但與其他模式不同，法律系統有強制性，其主體為人，絕大多數人由於偶然誕生在世上而納入法律系統之內。對於他們所不贊成、甚至是有意去修改的法律，仍有遵守的義務。用他的話來說，「總之，根據公民結社的觀點所理解的公民狀況及國家，必須做如下的假定：自決自主的人類，與跟他同種的其他人，以自我挑選的交易來追求滿足他們之所需。」

此外，歐克俠關於歷史解釋的看法，也值得一記。他並沒有就歷史哲學寫下專著，但晚年刊佈的《論歷史》（*On History and Other Essays*, 1983），則提出了他的見解。其中心觀點 the contingent 或可試譯為「偶然連帶」。他認為歷史家之所以能夠解釋歷史事件：唯有根據「觸及」他們的先行事件。歷史家所留意到的先行事件，必須是對後發事件的塑造造成重大的不同。歷史家之所為，是從現在－目前可獲得的文獻、文物與其他遺跡——而做某種推理，當他們動手去寫推

理的關係時，其用意不是去支持某一論點，而是在於說明，何以某一事件根據與其相關的事件而能獲致最佳的解釋。歷史家並沒有泥灰可以砌磚蓋瓦。所謂歷史定律、事件的必然性、偉大的設計、有機的成長、神聖的目標、國家命運、永恆的元素、宇宙目的之開展，這些都不存在。歷史家沒有現成可用的一套規則，只能運用自己的判斷，在綿延不斷的偶發連帶底鏈鎖中，去把人類事件與其他事件連結起來。歷史中的唯一常數乃是人的行為本身，而人的行為永遠不可捉摸，永遠可供人做明敏的選擇。

有一點非特別指出不可，歐克俠之有此論，絕不是虛無主義，而是出自他謙虛的自制。他曾經表示過，放棄追求「真理」，並不等同於相信真理不存在。他曾斷言，只要守其分際而不踰越，凡事皆可為真。前文談及宗教時，提到人與人間、人與神間的愛。歐克俠解釋說，愛起源於相互取樂，而最後臻達「全盤接受」（total acceptance）另一個人。他在論文中說道，「朋友間彼此關切的不是你從對方能得到什麼，而只是彼此互相享受，而享受的境地乃是隨時接受對方之本然，絕無任何改變或改善對方的欲求。」他把這種強烈的接受視為其保守氣質這一觀念的核心，現代的保守派受到理性主義的影響，大概很難了解和體會個中三昧。就此而論，歐克俠雖然是現代保守思想的主要淵源，但與保守派的行徑卻頗有距離。他關心的是如何理解人與人的關係，人類行為的反覆無常，在他看來，乃是值得慶祝而不是應予改進的對象。他的保守政治學，可不是去壓制人底繁複多變之手段，而是於政治終結的地方，讓它滋長興盛的方式。有人說歐克俠置身當代卻又超越當代，是麥田裡一朵燦爛的野花。美國大思想家愛默生在〈論保守黨〉一文結語稱：人類的希望之花，乃是生長在保守主義的野蘋果樹上的。歐克俠庶幾近之。

歐克俠以政治哲學名世，在這方面也有他的執著，他認為比起其他領域，哲學更容不下二流人才。Lee Auspitz指出，虔誠與個體性、嚴肅與歡愉、尊崇與懷疑、同情人類的軟弱與嚴酷抨擊人類的缺失，歐克俠把兩種截然有別的德性結合在一起，在二十世紀的哲學界是很難將他歸類的。唯其無法成群結隊，所以才使得他如此突出。

其實，歐克俠是一個豁達而又很能自得其樂的人。晚年居陋巷，竟以八十九歲的高齡開藍色小跑車。去世之後，葬禮雖然溫馨，以他大思想家的地位而言，實在稍嫌冷清，但他的知交與學生全都知道，他不會有「不遇」之感，對這樣的場面可能還會大表欣賞。筆者以中文狀擬其人其思，雖然相當粗淺，歐克俠在天之靈當亦泛起寬宥兼含欣慰的微笑吧！

——《美國時報週刊》，1991年8月17-23日

真理被誰出賣了？

何謂「科學詐欺」？人類科學史上有何荒謬的「詐欺」實例？美國學術界最近揭發了有關以捏造資料、涉及學術詐欺的情事，正暴露出何種警訊？

——談科學研究領域的詐欺行為

紐約時報於一九九一年十二月三日，以頗大的篇幅，報導洛克菲勒大學校長巴爾第摩博士正式宣佈辭職。巴爾第摩（David Baltimore）是一九七五年諾貝爾醫學獎的得主之一，在科學界卓著聲譽。巴氏的求去，不是尋常的人事異動，而是在學術界爆發了長達數年的爭論，連帶引起校內重要人士的去職，他本人考慮各種因素以後，終於下定決心辭去校長職務。

科學詐欺漸受重視

六年前，巴氏在著名的科學刊物細胞學刊（Cell）上，與同僚

Thereza Imarishi - Kari 博士共同署名發表了一篇論文。其後，同行的一位博士後研究員 Margot O'Toole 予以仔細評估，發現並沒有足夠的科學證據，足以支持該論文的結論。

消息傳出，生物醫學界分成正反兩大陣營，各自使出渾身解數為本身的立場辯護，最後驚動了國會眾議院委員會加以調查。巴氏雖然未必親手從事與論文相關的實驗，但卻護短心切，不僅運用本身在科

學界的影響力，而且採取類似政客的作法，來為自己強力辯白，竟至不惜與主持調查的眾議員 John Dingell 決裂，攻擊國會充當「科學警察」，「騷擾」科學家。

今年，國立健康研究中心公佈調查報告，認為該論文確有學術詐欺情事，事主之一的 Thereza Imanishi - Kari 也在調查過程中供認其捏造資料之舉。巴氏遂不得不承認他的護短心態有所不當，進而導致正式宣佈辭去校長一職。

這件事情的演變，正好突顯了一個現象，那就是科學家研究領域的不實與詐欺。以前很少有人注意及此，但近十餘年來卻日益受到重視。

科學的意識型態與實際狀況

科學詐欺，當然不合乎相沿已久所謂「高貴的科學家」的神話（The myth of noble scientist）。此一神話似導源於英國思想家培根，培根以科學家乃是「無所為而為的自然觀察者」（scientist as a disinterested observer of nature ）。晚近幾百年，自然科學取得相當可觀的進展與成就，科學家的確享有客觀公正和值得信賴的美名。

通常所認為的科學規則——有人稱之為科學的意識型態，主要是指：

一、科學的認知結構係由收集事實、形成假設、發現定律、建立學說而組成。

二、科學上的任何聲明，必須具備可驗證性，可加以評估及複製。

三、同行的評估為不可或缺的程序。

這些規則當然沒有什麼不對，但卻很難說是對科學活動的如實描述。主要是因為這些規則或意識型態，基本上乃是由哲學家、史學家、社會學家等形成的，他們並未真正投入科學的實驗與研究，難免產生不夠週全和過度理想化的情形。其中最主要的缺點在於只重視歷程，而忘了科學家的動機與需求。

其實，科學家同樣是人，科學乃是非常富於人性意味的活動。虛偽、浮誇、誤導、造假等等，也是科學研究與生具有的缺失，很難百分之百加以排除。

加州理工學院物理學教授 David Goodstein，最近為文檢討科學詐欺，即曾指出：科學研究絕對不是一幅昂揚顯耀的慶功圖，從這一個真理前進到另一個真理。真正動手從事實驗與研究的科學家都知道，每個科學實驗皆是一團混亂，像戰爭一樣，你根本不知道在搞什麼，也不理解紛陳的資料含義為何。經過一段時間以後，才逐漸猜想出到底是怎麼一回事。事後寫成報告，一經一緯按部就班，使人誤以為原本就是如此這般條理分明，這就是虛浮，但早已深植入科學活動內。

Goodstein 教授還特別舉出科學論文的句子為例，很有趣地說明了科學研究經過化妝以後與本來面目間的分別：

科學報告上說，「鑒於樣品處理上的困難……」－實際上可能指的是像「我們不慎把樣品摔到樓板上」等情況。

報告上提及，「人們早已知道……」－意思乃是指「我沒有花功夫去找原始的參考資料。」

報告上寫，「典型的結果顯示……」－意即「這就是我所能拿到的最佳資料。」

把科學家視為也會犯錯的凡人，重點不在貶低科學研究的重要性，更不是低估科學家的努力和貢獻，而只是實事求是，讓科學以平實的面目呈現在世人面前。

科學史上的不實與詐欺

科學詐欺與法律上的民事詐欺有所不同。民事詐欺的原告有舉證責任。科學詐欺則無需原告或被害人的告發，幾乎所有的科學詐欺案例，都是出於當事人未能謹守科學研究的適當程序。如果以比較嚴格的尺度來衡量，則浮誇、不實、作假、抄襲、冒用等情事，科學史上的許多巨人都曾犯過。

美國新聞界傑出的科技記者 William Broad 與 Nicholas Wade，在一九八二年出版了《真理的出賣者——科學廳堂內的詐欺》（*Betrayers of the Truth—Fraud and Deceit in the Halls of Science*）這本專著，記述了自有科學活動肇始，直到一九八一年為止，科學史上重要的不實與詐欺案例，深入探索其原因，並且檢討與科學相關的方法及程序問題，可能是目前在這方面最具參考價值的著作。

依該書所述，紀元前二世紀希臘天文學家 Hipparchus 即曾抄襲巴比侖的資料，而視之為他自己的觀測所得；公元二世紀埃及天文學家 Claudius Ptolemy 左右天文學一千五百年，聲稱做過種種測量，實際上並無其事；伽利略把實驗所得予以誇大；牛頓為了提高預測力，引進 fudge factor；現代原子說之父道爾頓，在報告中提到他所做的實驗，但後世沒有人能重覆這項試驗；遺傳學鼻祖孟德爾，所出版的統計數字過於完美，根本不可能。以上這些人全係科學發展上的宗師，如果把他們的名字與功業剔除，人類的科學史是很難寫的。

科學界人士對前段的說法不無異辭，認為定罪失之於寬。科學研究同樣需要想像力與美感，尤其在初期混沌未明的情況下，必須有膽識，才敢也才能理出一些頭緒，這種科學判斷的運用，浮誇不實容或有之，說是詐欺未免太過。事實上，科學家不可能等到定義已經達到萬無一失的精確，事實業已收集發現殆盡，所需的實驗設計已然完美無缺，然後才進行研究。如果非得如此不可，則科學大概也不容易有長足的進步。這一點似亦不能不辨明。

到了二十世紀，科學詐欺或不遵守研究程序與標準的案例，自然也依舊發生，但像上述這種宗師級的例子尚不多見。其中較具爭議性的是諾貝爾獎得主美國物理學家 Robert Millikan 在研究程序上的瑕疵，以及被人指控隱匿不利的資料；另外一件較著名的案子則為：一九〇八至一九一二年在英國發現的 Piltdown 化石，想藉以證明英格蘭為人類發源地，直到一九五四年才確定係有心人造假的化石；近年頗受重視的是一九八一年哈佛醫學院明星研究員John R . Darsee 的案子，此君一年發表論文近百篇；再來廣受注目的就是本文開頭所提與巴爾第摩有關的案例。

晚近有個令人不能忽視的趨勢，亦即學術詐欺發生在與生命科學相關科目上的比例特別高。社會學家 Patricia Woolf 研究一九八〇至一九八七年間廿六件嚴重的科學不當行為，其分佈情形為：

兩件屬化學與生物化學類。

一件屬生理學類。

兩件屬心理學類。

廿一件屬生物醫學類，其中十七件由醫生所犯。

一般的觀點認為生物醫學界研究經費最充足，金錢使人腐化。除此而外，恐怕不能排除下面兩個因素：一是生物醫學或生命科學與現實生活關係遠較直接而密切，研究機構與研究人員受到外界的壓力與干擾大，同時本身求表現的功利心理也高；二是生命科學尚不如物理、化學等科學嚴謹，其實驗再製的可能性稍低，而實驗的變異性稍高。電機、電子的研究如有不實，應用起來容易被人發現，生命科學方面的作假，應用之後的結果並非如此直截了當，爭議的空間頗大。

詐欺的誘因

高貴的科學界，為什麼也出現杜撰造假甚至詐欺的情事？蘇聯在史達林鐵腕統治的時代，生物學家李森科為了配合共產主義的意識型態，只得犧牲科學的獨立性，而屈從於當權者的政治指令，因而不惜作偽。中國大陸文化大革命期間，不少科學著作和教科書照例於篇首引用毛語錄作為護符，使人產生今世何世之感。這類現象與其說是科學有意造假，不如說是當政者壓制科學更為恰當。這並不是正規科學研究的常態。

然而，即使處在能夠進行正規研究的環境下，科學界的詐欺行為依然不時出現，這又怎麼說呢？恐怕只能從科學傳統的變遷和科學家的心理需求與工作壓力來理解。

在本世紀以前，科學研究大多不脫個人嗜好與業餘的性質。到了二十世紀以後，不僅從業人員的數目激增，有人估計，有史以來所曾出現的科學家，百分之九十活於現在；更重要的是實驗設備所費不貲，已經不再是業餘人士所能負擔。一座同步加速器，不要說沒有任何科學家負擔得起，連工業界都有困難，唯有政府才辦得到，但放眼世界各國，又有幾個政府真能匯集人材與資金來設立呢？總之，目前科學研究似已根本脫離「業餘」的境界，而邁入「事業」的格局。

在科學傳統中，乃是以客觀和可確認的事實為真理的評準。但它在學術研究上引人入勝，絕非枯燥乏味的事實，而是觀念與學說的創立，如此一來，事實方能顯示意義。實際上，發現事實，遠不如發展足以解釋事實的一套學說或定律更能獲得酬報。換句話說，實驗科學在這個關節上是有它內在的矛盾的，同時也是主要的誘因之一。

非科學中人，委實很難體會原創性與發現先後對科學家的重要性。科學界有個成規，只有首先發現的人才有功績可言，除了絕無僅有的例子而外，第二、三個發現人均一無所得，完全是一種零餘局面。這方面心理壓力之大，使得親如父子也會反目如仇敵，對微積分的發展貢獻良多的數學家 Johann Bernoulli，曾抄襲其子的方程式，把他自己的著作發表時間故意向前挪，使人以為他的作品先於其子。至於原創性的重要，可以達爾文為例。達爾文的生物演化論，跟他同時或稍前的科學家也已發展或構想出類似學說，達爾文就很不願意在著作中徵引並公開給予應有的承認。諾貝爾經濟獎受獎人史提格勒（George Stigler）曾經慨歎，世人賦予原創性太高的評價與報償。科學界何嘗不然。

一般人或許認為金錢利益乃科學詐欺的主因。當然，科學家會被金錢腐化，貪財的科學研究人員一定為數不少，但「名」的誘惑似乎在科學界相當突出。這方面的事業壓力（Career Pressure），目前科學中人全都感同身受，幾乎無人得以倖免。具體講，科學家作偽，主要是基於：

一、必須拿出成果的壓力。以癌症研究為例，數十年間投入多少人力、物力與財力，迄無突破性的成果，研究經費面臨被切斷的危機，工作人員有被裁減之虞；

二、科學家在研究歷程中，自認為業已知道答案，誤以為花功夫去做實驗是多餘的；

三、認為他們的實驗不可能一五一十地被他人再複製，誤以為如此一來便多了一層保護。最後一點尤其適用於生物醫學界。

此外，科學家的工作環境也值得一提。目前科學研究人員要獲得昇遷，資歷表內所列論文的數目，比起五十年前要多出好幾倍。不出版就完蛋，其結果造成下述現象：一、出版論文重量不重質；二、論文內容縮短，並分成數篇發表於不同刊物；三、合署發表（即一篇論文署名作者好幾個人）的情形越來越多。何況刊物數目太多，再以生物醫學界為例，據英國醫學誌的統計，全球各地的醫學刊物多達八千種，絕大部分不見經傳，很難去查證論文是否抄襲，不啻給某些有心人可乘之機。

上述情形，當然不是什麼好現象。社會學家Jonathan and Stephen Cole研究科學論文被引用的實況，於一九七二年發表研究論文，其結語竟稱：只有極少數科學家對科學的進步有所貢獻。減少科學家的人數，很可能也不會使科學進步的速度為之降低。

政府的介入

研究經費既然越來越倚重政府，則科學界要想維持比較自主性的獨立領域，便愈益困難。而政府支出所用的全是納稅者的錢，支出是否妥當、績效如何、有無弊端等等，民意暨立法機構有權過問。

一九八一年三月卅一日至四月一日，美國國會眾議院科技委員會所成立的調查委員會，由年輕的田納西州議員高爾（Albert Gore jr.）主持（此君現任參議員，是民主黨內頗具潛力的總統候選人，一直是國會最關心科技的一員），就不久前在哈佛大學與耶魯大學發生的科學作假案件，進行聽證會。這是美國立國以來，國會首次針對科學詐欺採取行動。

科學界對政客介入自己的家務事，並不表示歡迎。其反應模式，似與常人捲入醜聞並無異樣。首先總是否認問題的存在，其次則歸罪於他人－最常見的就是指控新聞界渲染過度，最後才不得不承認確實有點問題。一九八一年應邀作證的美國國家科學院院長賀蘭（Philip Hollonder）是當時科學界的頭號發言人，他就聲稱：此次事件已被誇大，事實上科學詐欺至為罕見，即使不幸發生：「它所發生的體制，其運作方式極為有效率、民主而且能夠自我修正。」意即現行的科學體制足以處理這些事件，毋勞外界操心。其實，每次詐欺事件被舉發，大學當局的反應與此都很類似。

關鍵就在所謂「自我修正」(Self - correcting)或「自清自律」(Self - policing)，往往成為互相袒護、搪塞推拖的藉口，並不能真正解決問題。正因為人們愈來愈關切這方面的問題，美國公共衛生署遂於一九八九年末公佈一套定則（final rule)，指出「捏造、作假、抄襲或其他的作法，與科學界普遍接受有關研究計劃、進行與報告諸常規嚴重偏離者」，即屬「科學的不當行為」（scientific misconduct)。科學中人不喜歡「詐欺」（fraud）一辭。不僅如此，其轄下的國立健康研究中心，另於一九九〇年春成立科學誠信處（Office of Scientific Integrity)，其主持人也表示，最基本的問題仍舊是：科學可以自清自律嗎？其實，該處宛如釐正官箴的廉政署，如果上一問題的答案是正面的，還設什麼誠信處？

政府積極介入科學的趨勢，可能衍生如次的問題：一是科學家的官僚化，以前述科學誠信處為例，工作人員幾乎全部擁有博士學位，而且心態也多以科學家自居，不把自己當做官僚，但衡諸過往的史實，行政機關的「同化力」很強，學位不一定便具備免疫力；然而從另一個較為樂觀的角度看，這些科學家也可能成為溝通科學與人文兩種文化的橋樑。二是基本上科學享有相當程度的獨立自主，這個優良傳統如何保持下去？道統（泛指學術，科學包括在內）如果完全被政統吞噬，對健全的社會發展而言，絕非一樁好事，這點更應成為今後關切的焦點，其中又以科學研究的生機不容被扼殺最關緊要。

科學的政治

國防科技向來是政府與科學界交流的重心。由於它的保密性，不易為外界所詳察。知名的英國科學家兼小說家史諾（Charles P . Snow），曾經就第二次世界大戰邱吉爾主政期間，主持雷達發展的著名科學家 Henry Tizard 與邱氏科技顧問F . A . Lindemann 之間激烈的權力鬥爭，寫下「科學與政府」一書予以檢討。史諾語重心長地表示：政府的確需要科學家的參與，才會有遠見，以彌補行政人員重視行動而求近功的偏差，但又鄭重地警告，千萬不能產生科學太上皇，尤其是有自我陶醉傾向而把持一切的科學家，危險殊甚。其實這正是政治學的教訓，世界上並沒有萬能的領袖與政府，人間也不應有所謂全知全能的科學家。

其實，何止是國防科技，今天一般性科學研究的成果，早已與人的生活息息相關。但人類的資源畢竟有限，政府的經費絕非取用不竭的金庫。寶貴的預算究應用於愛滋病的研究，或是用在改善營養不良的兒童身上？這類選擇不是單純的科學問題。管理學家Peter F . Drucker 指出，人類已面臨「知識的政治」，獲得知識的優先秩序應該如何，並不是科學性的決策，而是政治性的決策。人們似乎不能不承認：「科學的政治」乃是政治，而非科學。

——《美國時報週刊》1991年12月28日-1992年1月3日

誰做禁書「守門人」？

對言論與自由保護極力的美國，仍時時出現與法令相左的違禁書刊，此時社區，壓力團體及消費者便充分發揮抵制力量。

查禁書刊，中外皆有，史不絕書。專制時代，內容不利於統治者的著述，一旦被搜出，作者很可能滿門抄斬，罪及九族。清朝雍正、乾隆年間的文字獄，國人早有所知。而在二十世紀的今天，高舉以某一主義為立國之基的政權，凡與當權的意識型態相違背的著作，每被視為「反動」、「反革命」、「黑材料」、「違法」、「為 x 宣傳」而獲罪。

至於非政治因素方面，例如內容「淫穢」、「傷風敗俗」、「不健康」等等，因而只能暗中流佈的書刊，也是從先古綿延至今，迭有所聞。金瓶梅、肉蒲團、Fanny Hill：Memoirs of A Woman of Pleasure 等，有很長一段時間不能公開發售。

古今中外定義不一

一九八九年中共於文化部內設立「文化市場管理局」，據該局本（一九九一）年八月份的報告，兩年來所清查收繳的反動、黃色、非法出版的書報刊物約達四千萬冊，顯然是把這項龐大的統計數字當做政績來炫燿。「文化市場管理」云云，似已成為查禁書刊的現代新名詞。

如果禁書指的是政府根據法令規定，採取行政手段，強制禁止某種出版物的刊印、發行及銷售，並對著作者和出版商課以罪刑，而其認定係以出版物的內容為基準，那麼現今的美國並無所謂禁書。美國海關及聯邦調查局之沒收出版品——由於視聽媒體的進步，出版品已不限於書刊，電影、唱片、錄音帶、錄影帶均包括在內——並非因為內容反動或有問題，乃是由於盜印或走私而違法。

現代真正的民主國家，由於寬容精神的法制化，思想無罪的原則大體已被奉行，因此內容幾乎已無可罰，頂多只是予以分類而發行，例如成人電影。當然，出於明知而故意中傷，以致使當事人事實上遭受損害者，當事人有權提出譭謗名譽之訴，但檢查機關絕少主動起訴，也無從或不能於事前防範，這類案件多屬告訴乃論。衡諸實際，在美國社會，很少人願意揹上焚書者 book burner 的惡名。因此像最近風行一時而引起物議的自殺指南《最後的出路》（*Final Exit by Derek Humphry*）一書，反對的人雖然不少，但卻沒有人公開提議禁止該書發售。

如此說來，美國已經是一個免於禁書恐懼的社會了嗎？實際的情況遠為複雜，似乎很難以簡單的「是」或「否」來回答。

從法理上講，美國憲法第一條修正案，為言論與出版自由奠定了堅實的法源基礎。兩百年來，最高法院對於涉及第一條修正案的判例，其方向並非去刻意限制自由，而是隨著時代的演變，針對言論與出版自由所受的限制，配合現實環境而予以具體化：諸如十八世紀末的「煽動誣蔑」（seditious libel）、十八、十九世紀之交的「惡意中傷」（special malice）、二十世紀初年的「明顯而立即的危險」（clear and present danger）、五〇年代的「以武力和暴力推翻政府」（overthrow of the Governmnet by force and violence）。事實上，自一九五〇年代以後，最高法院已無意對第一條修正案形成（或樹立）某種通則，而是交由異議份子和法學教授們去費神。

一般而言，目前在美國受到限制的言論，其定義已經相當清楚，範圍也很有限，諸如淫穢（lewd）、猥褻（obscene）、褻瀆（profane）、中傷（libelous）、侮辱性或戰鬥性字眼（insulting or fighting words 指的是述說或刊印足以引致當下立即的破壞安寧，所謂disruptive material）。何況各級法院所做的判決，顯然傾向於對被告有利。幾年前，「好色者」（Hustler）雜誌以極端不敬的字眼，醜化道德大多數（Moral Majority）組織領導人佛威爾（Jerry Falwell）牧師，利用漫畫性的語句指稱該牧師係「奸淫母親的惡棍」，法院仍然判決雜誌社無罪。美國人雖然反共的佔大多數，但書店裡很容易找到各類共產主義的書冊，如果有人認為這些作品性質反動、替敵人服務，進而指控出版商或作者「陰謀顛覆政府」，大概只會被人當做神經病看待。基本上，美國人民要說什麼就說什麼，確屬實情。

商家被迫採自律

但在實際生活上，有時會感到似乎有某種限制存在。十年前走進任何一間超級市場，花花公子、藏春閣等成人雜誌隨手可取閱，只是放在高處不讓未成年的兒童輕易拿到。但目前成人雜誌幾乎完全已從超級市場等類店家消失。今年八月份的《浮華世界》（*Vanity Fair*）月刊，以名影星德咪・摩爾的懷孕裸體照片為封面，全美不少超級市場拒絕擺放這一期雜誌，不但如此，許多社區圖書館也拒絕陳列。筆者居住地的圖書館素以自由派著稱，但書架上原應放《浮華世界》的位置，卻擺著Check With The Front Desk（請洽櫃台）的牌子。

類此情況其實也在某種程度上達到查禁的效果。美國查禁書刊的壓力，不是來自各級政府，而是來自社區或壓力團體。其過程略可簡化如次：社區或壓力團體對某出版品的內容不表贊同或極為不滿，相關人士便組織起來，針對銷售該出版品的商業機構加以抗議或示威（照理應該針對作者和出版公司，因為他們受前述法律上和實際判例的保護，很難奏效），商業機構自行考慮本身的利益而接受或拒絕。

然而，問題往往也就出在此處。公司的董事會在考慮這些事情時，著眼點放在本身的商業利益，拿維護言論和出版自由的大帽子來對董事會相求，未免不切實際，他們會合理地反駁說，這乃是政府或政客們的職責，而不是商業機構的任務。莫惹不必要的麻煩，使營業能夠順利進行，才是他們所關切的。晚近的經驗顯示，社區和壓力團體的抗議事件越來越頻繁，已經使得公司高級主管產生一種恐懼症，進而促成更多的商家採行自清自律的策略。

這種現象，對於倡導言論與出版自由的人士而言，當然是令人憤慨的。Bill Wasserman（民權組織People for The American Way的發言人）最近大聲疾呼，認為公司決策者太容易向那些要求查禁者投降。他說，「在一個自由的社會裡頭，店家不可向查禁者低頭，因為這違反了民主的價值理念。」事實上，對於引起爭論的書刊雜誌、影帶唱片等，不時被公司主管或圖書館當局默默地從書架上移走，目的在防範引發物議，此即所謂「不動聲色的查禁」（silent censorship），有識之士至表憂慮，深怕會挖掉自由民主社會的礎石。

更不幸的，不僅一般商業機構有這種傾向，連素負聲望的出版機構也如此。小說家Bret Easton Ellis所著*American Psycho*一書，一九九〇年竟遭大書局Simon & Schuster取消出版（後續由Random House承印。作者一九八五年出*Less Than Zero*一書則廣受各界喝采），此事引起作家協會的抗議，認為這是「美國出版界黑暗的一天」。書局取消的主要理由是：該書內容包括駭人聽聞的性虐待，兼有不少涉及肢體分解的描述。值得追究的是，何以書局主管竟會產生這份警覺呢？說來令人驚訝，主因乃是其他作家在著名刊物上發表強烈的反應，時代週刊、新聞週刊、華盛頓郵報、美國新聞與世界報導、紐約時報均有嚴厲批評。婦女團體之杯葛這部作品，自不意外，但連自由色彩相當濃厚的知名作家 Norman Mailer 也為文抨擊，則殊屬出乎意料之外。作者對各界的批評回應稱，「這乃是反映了美國文化中的不容忍，凡處理一般人所能接受範圍以外的事物者，對之即缺乏容人之量。」

查禁書刊琳瑯滿目

社區和壓力團體所擬查禁的書刊，真是五花八門，應有盡有。茲列舉數起，以見一斑：

・ 三年前，伊利諾州某教育主管曾提議，馬克吐溫的《頑童歷險記》不宜列入伊州中學生名著閱讀名單內，因為書中含有太多侮辱黑人的字眼如nigger，此議幸好未被採納。

・ 一九八九年夏，田納西州 Chattanooga 市青少年夏令營，把諾貝爾文學獎得主史坦貝克的名著《人鼠之間》(*Of Mice and Men by John Steinbeck*)，列為必讀著作，引起嚴重抗議，理由為「作者反商業的態度盡人皆知。況且他的愛國心也值得存疑。」

・ 名影星桃樂絲黛的傳記(*Doris Day：Her Own Story*)，阿拉巴馬州 Aniston 鎮的兩所高中，竟於一九八二年將該書自圖書館取下，因為書中有令人「震驚」的內容，有損傳主「理想美國人的形象」云云。後來又回書架，但卻嚴加管制。

・ 傑出專欄作家 Mike Royko 的名著《芝城大老板戴利》(*Boss：Richard J. Daley of Chicago*)，康乃迪克州 Ridgefield 鎮於一九七二年禁止當地高中列入閱讀名單，因為該書「毀損警察局的令名」。一九八三年紐約漢尼拔高中對本書也有意見，認為「對學生有害，且傷風

敗俗，因為書中粗話連篇。」

至於像電影「基督的最後誘惑」（*The Last Temptation of Christ*），在電影院連映時，曾於全美各地引起示威，製成錄影帶，全美錄影帶連鎖大店Blockbuster Video公司總部決定不予採用，2——Live Crew灌製的「儘管使壞」（As Nasty As They Wanna Be），Musicland 唱片行系統拒絕發售。

消費者有權自由抉擇

過去十餘年，施壓者多屬右派保守團體，一般人遂以為保守派是美國禁書的主力。其實，近年來美國全國婦女組織在這方面的表現，一點也不遜色。影響更深遠的則是在於這項事實，即美國圖書館從業人員百分之八十五是女性。美國圖書館協會主任 Judith Krug 曾經坦承，印裔英籍作家 Salman Rushdie 的《魔鬼詩篇》（*The Satanic Verses*）問世時，伊朗以其污辱回教教義，公開懸賞刺殺作者，一時變成熱門新聞，各地圖書館紛紛搶購。但是就American Psycho而論，由於全國婦女組織大事批評，視之為「折磨女性的藍圖」，圖書館界遂趦趄不前，遠非搶購《魔鬼詩篇》可比。

社區人士或學童家長對社區圖書館施壓，要求撤除或不應購置某些書刊，主要對象為有關邪教、大膽煽情的性教育以及引起高度爭議的出版品。圖書館負責人為了與社區保持和諧的關係，往往採行中庸之道，避免購置立場或內容過分偏激的出版品。類此作法，未必正確。美國圖書館協會和全國英語教師評議會都認為，容納代表所有各種觀點的書刊雜誌，為社區提供一套觀點均衡的藏書，乃是社區圖書館應盡的責任。平心而論，引起高度爭議的出版品，最理想的陳列處不就是圖書館嗎？

言論與出版自由實在是民主自由社會的根本原則之一，任何可能損及這一原則的作為，照理均應謹慎將事。社區人士、學童家長、壓力團體、利益團體當然有權合法地表達他們的意見。但正如選舉是政治上的最後裁決一樣，在一個政治民主、市場自由的社會，消費者的購買意願與選擇，乃是他們就其收入所做的投票行為。就此而言，出版品的成敗得失，應由消費者在市場上去表達其好惡和品味，雖則選擇可能失當，品味或許低俗，但只有這樣才是比較合乎民主精神、保障人的自由的做法。

——《美國時報週刊》，1991年11月16-22日

圖書館禁書，查禁理由五花八門，大師名著照禁不誤

在歷史的悠久進程中，查禁者與審問者總是輸的。對付壞觀念之唯一有效的武器，乃是比較好的觀念。這些比較好的觀念，其根源在於智慧。

從九月底到十月上旬，美國圖書館協會於全國各地舉辦「禁書週」的活動，今年已經是第十二屆。跟其他的展示不同，「禁書週」的宗旨不是在提倡禁書，而是藉禁書這個現象當做反面教材，促進一般民眾的了解，進而使閱讀自由的信念，更形普及和深入人心。

首先應予說明的是：在當今的美國，所謂禁書也者，不是指政府機關以行政力量來禁止書刊影帶的出版、發行、銷售和流通、美國憲法第一條修正案，已對言論與出版自由提供了極為堅強的法源基礎，以後的實際運作，也都朝著保障自由的方向演進。因此，大體上講，自一九五〇年以後，在美國以公權力來查禁書刊的案例，幾乎已告絕跡。這與專制時代的文字獄、共產極權國家對意識型態的嚴格控制、甚至臺灣在戒嚴法未解除前對所謂不法書刊的制止、或現今中共文化部文化市場管理局之清查收繳反動黑黃書冊，乃是不可同日而語的。

然而在美國這麼自由的國度裡，何以還要年年舉辦「禁書週」？又是書籤又是海報，還印製了相當完備的一套資料，教導各地圖書館如何利用地方媒體，以資推廣。如此大張旗鼓，所為何來？

目前美國的禁書，主要是指社區人士、族裔代表、宗教團體和學童家長，針對出版品的內容、圖片、用詞、表達方式等有所異議，從

而要求採取諸如不予購置、不得陳列、自書架移走或限制借閱等類的措施。屬於地方人士與社區或學校圖書館之間的互動事件。

五個與禁書相關的名詞

一九八四年，美國圖書館協會轄下的學術自由委員會，公佈了五個與禁書相關的名詞與定義。從這些名詞的順序和定義，可以理解一本書被禁止的大致程序。這五個名詞及其含義如下：

詢問Inquiry：這是要求提供資訊的一項詢問，通常以非正式的方式提出，其目的在於確定陳列某一本書的理由為何。

表示關切Expression of Concern：這種詢問已含有價值判斷的意味。詢問人針對特定資料已經有了價值上的判斷。

申訴Complaint：向圖書館正式提出書面申訴，針對特定資料質疑其陳列的適當與否。

攻擊Attack：公開的書面聲明，質疑材料的價值，向圖書館之外的媒體和組織散發，以圖爭取公眾的支持，俾便採取進一步的行動。

禁絕Censorship：由任何主管當局將材料移走，不對外開放。

這五個步驟乃是一本書被查禁的逐步上升過程。他如提出異議Challenge、上法庭申告等，都是常見的程序。

禁書一籮筐，不由你不信

就歷年來美國各地發生的禁書實例來看，要求查禁的理由的確是五花八門，涵蓋的書刊範圍有令人出乎預料者。下面稍加分類，並舉實例說明，以見一斑。

字典：字典辭書還會有什麼問題呢？但事證俱在，不容否認。American Heritage Dictionary這部字典分別於一九七六年在阿拉斯加、印地安那州，一九七七年在密蘇里州，一九八二年在加州，被當地學校從書架上移走。Merriam-Webster Collegiate Dictionary，這部字典，一九八二年在新墨西哥州某校被移走，一九八六年版的同本字典，於一九八九年在新澤西州某校被人提出異議，理由為對性交的定義令人不敢苟同。

性學：自古以還，查禁書刊最通行的理由之一，即是人類的性與性行為，徵之往史，歷歷在目。單以一九九二年至一九九三年度為例，跟人體和性有關的查禁事件即有：《改變的身體、改變的生命》；《家庭健康圖解百科全書》；《我們如何出生、成長、身體如何運作、如何學習》；《葛羅莉亞以同性戀為榮》；《人類的性徵》等。

詩集：雙日出版公司輯印的「美國詩歌精選」，一九八一年維吉尼亞州某高中有人提出異議，因為有八個不當字眼。審議委員會建議把含有這些字眼的地方剪掉開天窗，或用墨水塗掉。現代詩人金斯堡的《一九六七至一九八〇年詩集》，喬治亞州和印地安那州各有一所高中將其移走，主要是因為詩中有描寫同性戀之處。

宗教：一九九二年明尼蘇達州某地，有無神論者對聖經表示異議，認為聖經裡頭「淫穢、下流而充滿暴力的內容，實在不適合年輕學子。」當然，這種太超常的理由不會被一般社會所接受。達爾文的「物種源始」這部改變歷史的名著，從一九二五年到一九六七年，田納西州根本禁止在學校中講授進化論。日本學者鈴木大拙的《禪宗佛學》，一九八七年密西根州某學區有人至表反感，稱「本書詳細解說佛教的教義，引人入勝，極可能使讀者擁抱它的教義，進而選擇它做為本身的宗教信仰。」這段話令人感慨萬端，且不提宗教上的偏見，光是書寫得好也變成一項處罰，夫復何言！

小說與戲劇：這是最普遍、最常見而且數量最多的一項。除了太過於色情、恐怖和暴力的小說常常被禁之外，許多文學史上的傑作，諾貝爾獎的得主，文壇宗師的作品，遭遇被禁命運的也所在多有。茲按作者姓氏英文字母的順序，將重要文學作家及作品列舉如次：

科幻小說的宗師艾希默夫 Issac Asimov；當前頗富盛名的女小說家艾特伍德 Margaret Atwood；文藝復興時代義大利名作家薄伽邱 Giovanni Boccaccio；波裔英籍小說家康拉德 Joseph Conrad；狄更斯 Charles Dickens；福克納William Faulkner，他被禁小說為數不少，尤以《當我躺著等死》次數最多；霍桑 Nathaniel Hawthorne；海明威 Ernest Hemingway，他的名著《戰地鐘聲》初問世時，美國郵局於一九四〇年宣佈此書不適合郵寄；赫胥黎Aldous Huxley其成名作《美麗新世界》，遲至一九八〇年，還被密蘇里州某校逐出課堂；勞倫斯D. H. Lawrence；梅勒Norman Mailer所著《古代的黃昏》一書，加州某學區於一九八五年拒買，因為「言語粗俗，而且有露骨的性描述。」；米勒 Henry Miller，他出名的劇作《推銷員之死》一再被禁；歐威爾 George Orwell這位英國作家的傑作《一九八四》，素以暴露共產黨虐政著稱於世，但也曾經被人以親共為由而遭到挑戰；沙林傑 J. D. Salinger；莎士比亞的名劇《威尼斯商人》，一九四九年紐約市一群猶太人認為當地高中研讀此劇不當，上庭控告。遲至一九八〇年，密西根州密德蘭市還有學校禁讀該劇；史坦貝克 John Steinbeck，他雖然是榮獲諾貝爾獎的美國小說家，但其著作被禁的次數極多；馬克吐溫 Mark Twain，作品中以《湯姆歷險記》、《頑童歷險記》、《夏娃日記》最常遭禁。馬克吐溫已屬美國國寶，但一八八五年麻州禁其《頑童歷險記》時，理由竟然稱這本小說乃是「一堆垃圾，只合給人渣去讀。」有些則指責他用語粗鄙、文法不通。晚近他的作品也屢屢出問題，但毛病大都在於書中使用過多侮辱黑人的字眼Nigger；法國文豪伏爾泰Voltaire，他的名作《甘弟德》於一九二九年被波士頓海關沒收；潘華倫 Robert Penn Warren 其名著《莫非王臣》，於一九七四年德州達拉斯市被人提出異議；威爾遜 Edmund Wilson，美國近代文學批評重鎮，其《哈卡特郡回憶錄》，竟在一九四六年被紐約市警察局自四間雙日書店中沒收，一九五六年被美國郵局列入禁寄書籍；吳爾夫 Thomas Wolfe，一九八三年阿拉巴馬州教科書委員會建議不採用其所著《時間與河流》。

《麥田捕手》常被查禁

從以上簡列的作品與作家來看，大多數出名作家被網羅在內，而時間的嬗遞所造成的認知上的落差，更使人有不勝今昔之感。

根據美國圖書館協會所出版的《學術自由書簡》的報導，從一九九二年三月到一九九三年三月這一年當中，共有一百四十三本書遭禁，其中比較著名的作家計有：安吉蘿 Maya Angelou，她就是被邀在柯林頓總統就職大典朗誦詩作的黑人女作家；艾特伍德；福克納；高定 William Golding，英國小說家，諾貝爾獎得主；霍桑；易卜生 Henrik Ibsen，挪威近代大劇作家，其作品影響近代中國思潮至鉅；史帝芬金Stephen King，當代最暢銷的作家之一，擅寫恐怖小說，遭禁作品多達六部；瑪丹娜，當今最熱門的女歌星，她的「性圖片集」，可說是一九九二年最引起物議的出版品；沙林傑，這位隱士型的作家，他的成名之作《麥田捕手》卻始終是歷年來最常被禁的一部書；史坦貝克、馬克士溫、懷達爾 Gore Vidal，當代美國名作家。

值得注意的是華裔作家的作品，也首次於去年被列入禁書名單。

單。這部書是Laurence Yep所寫的小說《龍之翼》（*Dragonwings*），一九七五年由哈潑公司出版，曾獲得Newberry Award。書中以舊金山華埠中國移民的史實為骨幹，敘述華人在美國社會調適與掙扎的過程。作者得有博士學位，於大學講授文學。一九九二年賓州基坦寧鎮的中學對這本小說提出異議，理由是書中使用太多demon（魔鬼）一字，同時有鼓勵學童自殺之嫌，因為學童讀後會認為他們可以轉世投胎變成另外一個人或東西。此案由法庭裁決，幸好法官尚屬明智，裁定不必將這本書從當地學校課程中排除。

兒童故事作家，禁書狀元

設於華府的民間團體「美國之道協進會」，曾經廣為收集資料，而把一九九二至九三年間，最常被人攻擊的九部書列出，以供世人參考。其中前述沙林傑的《麥田捕手》、史坦貝克的《人鼠之間》兩部名著赫然在內，名作家愛麗絲吳克 Alice Walker 的《紫色》列第九名。最觸目驚心的乃是兒童故事作家艾文許瓦茲 Alvin Schwartz 的恐怖故事三部曲——《暗夜恐怖故事集》（*Scarry Stories to Tell in the Dark*）《暗夜恐怖故事續集》（*More Scarry Stories to Tell in the Dark*）、《三集、毛骨悚然篇》（*Scarry Stories 3：More Tales to Chill Your Bones*）——竟分列第一、二和第五名，簡直是禁書領域裏的大狀元。

許瓦茲是芝加哥北郊西北大畢業生，已於一九九二年三月去世，享年六十四。平生著書五十餘部，其中專供少年閱讀的恐怖故事集，自一九八一年面世後，銷路始終不衰，但也不斷引起家長的批評與指責。他的故事時常取材自民間傳述的鬼故事、恐怖的鄉野傳說。有些故事單就篇名即已具鬼魅之氣，例如〈死人頭腦〉、〈墳湯〉等。有一篇題為〈味道真好〉的故事，講一個婦道人家去停屍間偷另一位婦女的肝，拿回家餵給丈夫吃。不少家長認為類似這種故事，全無教化意義，只使人噁心而已。此外，書中的插畫也常常被人攻擊，許多家長覺得惡形惡狀，小孩讀後在夜間頻做惡夢。

查禁理由，宗教第一

一九九二年這一個學年中，依美國之道協進會的統計，全美各地的學校有關禁書的事件共達三百九十五起。以州別而論，加州居首，賓州其次，俄勒岡州、德州、華盛頓州又次之。要求查禁的理由，第一是宗教上的原因，第二是有關性行為的描述，第三是褻瀆。但有些理由實在太過牽強，例如德州某地某校，由於被人抗議，老師只好把教室掛的聖誕老人圖片取走，因為圖片上的Santa Claus其中Santa一字，將字母打散後重組很容易變成Satan（撒旦、魔鬼），這未免荒唐過甚！古語所謂「深文周內」、「文網嚴密」，其程度大概也不過如此！至於提出查禁的一方，初步統計，大約三分之一出自宗教上的保守派，但社會自由派也佔百分之七，自由派大都針對種族、性別歧視等事由而提出抗議。

筆者必須指出一個值得注意的傾向，亦即向學校要求查禁的案例，絕大多數針對小學、初中、高中，二年制學院偶爾出現，大學則至為罕見。可見閱讀者的年齡越長，所享受的閱讀自由越高，一般人的寬容度也等比例的放寬。

在公開市場上判斷眞假

圖書館從業人員，泰半認為圖書館係一學習機構，把圖書館當做一個可以讓各種觀念、學說、構想均得流通的自由市場，乃是美國文化傳統中彌足珍貴的重大優點。出於熱切的維護心理，一旦有對圖書表示異議要求查禁的事例發生，不免即視之為對學術自由大原則的挑戰。本乎此，毋怪美國圖書館協會將甘迺迪總統的一段話製成書籤，廣為流傳。甘氏於一九六二年二月廿六日美國之音二十週年致詞云：

我們不怕把令人不愉快的事實、新奇的觀念、外來的哲思、互相競爭的價值觀念等交付給美國人民。因為，一個國家如果怕讓她的人民在公開市場上去判斷真與假，那麼這個國家所怕的乃是她自己的人民。

多麼鏗鏘有力的一段話！但對於主張人民有權查禁的一方而言，他們同樣會認為，他們所做所為正就是去體現「在公開市場上去判斷真與假」。平心而論，公立圖書館的經費，顯然來自納稅人。那麼，納稅的學童家長自可振振有辭地表示：小孩是我的，稅是我繳的，如果事關我的孩子，用的是我繳的稅，則你選用什麼材料，我應該有權參與。雖說圖書館在理想上該當是一個觀念之自由而公開的市場，但誰都無法否認其經費必然是有限的，以有限的資源而要就擬購置的書刊有所選擇，則仁智之見的爭論又怎能避免呢？館方主觀的理想，與社區客觀的需要，如何兩相配合呢？這類的爭論，很可能會隨著經濟的不景氣而加劇。

根據多項民意調查的結果顯示，圖書館從業人員確實比社區人士具有遠較強烈的自由派傾向。加上美國圖書館員百分之八十五為女性，這項事實其影響可能極為深遠，畢竟最後負責選購的還是館方人員。有人批評道，由於圖書館協會有其偏見，加以該會對地方圖書館極具影響力，以致於對書冊材料的購置，業已把地方社區本應享有的選擇自由給剝奪了。雖則地方人士對圖書館購置或陳列某書有意見，亦可提出異議，館方也均備有印妥的表格，且有一套既定的程序，但事實上卻是官樣文章虛應故事一番而已。某些精通圖書館作業的內行人，甚至稱之為「死路一條」。每當有人對某書提出異議，此事自然而然就被列入且戴上「查禁」的惡名。既然館方早已決定對任何抗議均嚴加排斥，那麼上述的表格與程序又有什麼用處！納稅人想把一本書從書架上取走，唯有上法庭控告才實在。

查禁者總是輸的

照美國之道協會的說法，向各級學校圖書館要求查禁的案件，百分之四十一獲得成功。反對查禁的人，對這個情況引以為憂，認為這顯示公立學校的教育體系已「陷入重圍」；但持反對竟見的人卻認為，百分之四十一的成功率並不表示查禁案件日益增加，而是家長對學校的參與擴大了，其實應該感到高興才對。當然，這也附帶說明了學生家長不再是一盤散沙，遠比從前有組織多了。

有些爭論不必急於分勝負，有時甚至不必執著於論其對錯。在民主的社會裡，持久的爭論往往寓有高度的教育意義，使爭論的雙方得能互相調整適應，而不致愈走愈偏。準乎此，則葛里斯伍德Alfred Whitney Griswold 在《教育論文集》中的一段話，最足以發人深省。他說：

在歷史的悠久進程中，查禁者與審問者總是輸的。對付壞觀念之唯一有效的武器，乃是比較好的觀念。這些比較好的觀念，其根源在於智慧。

——《美國世界日報　世界周刊》，1993年10月31日—1993年11月7日

（本文於世界周刊分兩期刊出）

世紀之書

聞名世界的紐約公共圖書館，成立於一八九五年。當時由艾斯塔（Astor Library）與雷諾斯（Lenox Library）兩家私人圖書館，聯同狄爾頓基金會（Tilden Trust, Samuel J. Tilden曾任紐約州長），合併組成。經過百年來的發展，目前擁有四個研究中心，八十二處社區分館，典藏多達五千萬項，每年借出圖書一千兩百萬冊。

為了慶祝開館百週年，該館曾於一九九五年五月廿三日至七月十三日，舉辦一項名叫「世紀之書」的展覽，引起極大的迴響。這次活動，先向全館所屬圖書管理人員廣泛徵求意見，收到的推薦名單超過一千一百部作品，歷經一番精挑細選，決定展出一百五十九部書。

選書只有兩個限制：一是初版日期必須介乎一八九五至一九九五年之間，這當然是為了配合百年館慶，因此一些影響深遠的著作，比如達爾文的《物種源始》，馬克斯的《共產黨宣言》，即未列入；二是每位作者只限一部作品。定奪的標準強調其影響力，而不一定注重創造性。影響深廣的著作，即使寫得不好，且其影響偏向邪惡者，照樣選進，例如希特勒《我的奮鬥》、《毛主席語錄》。（主辦人伊利莎白·狄芳朵夫，把這兩部書列為同類）由於並不強調文學創造性，所以像《禮儀規範》、《烹飪之樂》等書，確實開風氣之先，均告上榜。展出的書籍，總共歸納為十一類。

主辦單位頗富巧思，在現場備有大型的記事簿，鼓勵參觀的人寫下他們的感言，其中有評論，有反思，也有不少人推介別的書，林林總總寫滿了六大冊。

此次展覽至為成功，主辦者參酌外界意見加以整理後，於一九九

六年秋天，交由牛津大學出版社刊印成一本《世紀之書》，以資紀念。這部書與實際展出的內容稍微不同。由於許多參觀者反應，平生所讀的頭一、兩本書至關緊要，因此加列「兒童與青年愛讀書籍」，共為十二類。成書以後，《世紀之書》所收書冊增為一百七十五本。

品題名著，或為青少年提出必讀書目，並不是什麼創舉。金聖歎點批「六才子書」，英國小說家毛姆圈選世界十大小說，早有先例。類似基本國學書目、現代青年必讀經典、當代散文十五家等性質的選本，不時有人從事。

臺北純文學出版社，早期出過彭歌譯的《改變歷史的書》（英文一九五六年初版）和《改變美國的書》，既暢銷又長銷。原作者羅伯．唐斯（Robert Downs），是美國知名的書圖館學家，他用相當長的篇幅，介紹一本名著的作者、內容及其重大影響，可讀性甚高，所論也頗為深入。相形之下，《世紀之書》對每部著作的說明，頂多只佔一頁，不可能就作者和內容有什麼充實的闡述。這本書的價值，在於它的資料性；其次，列入的著作是由有經驗的圖書館員多人所篩選，比起單一學者的眼光，稍較客觀，更具備統計上的意義。

個人曾根據《世紀之書》提供的資料，進一步予以查核計算，雖然是很粗淺的統計分析，還是獲得了不少啟示。有些數字可能小有誤差，諒應無關大局。

「世紀之書含蓋的時間，恰好是臺灣割讓給日本後的一整個世紀。近百年人類致知活動與社會演變的軌跡，從書中的十二項歸類，可以見出大體輪廓。這些歸類是：

一、現代文學的里程碑：收有二十四本書，作者二十四人。初版時作者平均年齡為四十點六三歲。

二、大自然的領域：十部書，作者九人，內含美國醫務署一九六四年出的《香煙危害健康報告》，屬於政府公文書，無具名作者。作者平均年齡四六點四四歲。

三、抗議與進步：十五部，作者十六人，有一本為兩人合撰。作者平均年齡四二點〇六。

四、殖民及其餘波：十七部，十六名作者，內有一部一九四五年出版的《聯合國憲章》。初版時作者平均年紀為四五點〇六歲。

五、心與靈：十五部書，十四位作者，中間包括一九五二年版的《聖經英譯》。平均年齡四六點〇七。

六、流行文化與大眾娛樂：十八部書，作者十八人。平均年齡四一點五六。

七、女性之興起：收十一部作品，十一名作者，有一部是婦女運動文集。平均年齡四四點四五。

八、經濟與技術：共收十一本著作，作者十一人。平均年齡四七點一八歲。

九、烏托邦及其惡化：列入十三部作品，作者十三人。平均年齡四二點〇八。

十、戰爭、浩劫與極權專制：計有十八本，作者十八人。平均年齡四〇點八五。

十一、樂觀、喜悅和生活雅趣：十五部書，十五位作者。平均年齡為四六點〇六。

十二、兒童與青年愛讀書籍：八部書，八名作者。平均年齡四三點五〇歲。

自前述類目當可看出，通俗文娛的盛行、女性地位的提升、戰爭與極權專制的摧毀、烏托邦的興滅、或許是二十世紀歷史的特色。

年紀最輕的作者是安妮．法蘭克，她只活了十六歲，死後《安妮日記》（第十類）才出版。年紀最大者高齡七十六歲（第四類有兩位。另邱吉爾七十四歲、毛澤東七十三歲）。作者年齡層的分佈如次：

二十歲以下——一人；二十至廿九歲——十五人；三十至卅九歲——五一人；四十至四九歲——六二人；五十至五九歲——廿八人；六十至六九歲——九人；七十歲以上者——七人。

把全部著述初版刊行時作者年紀加以統計，得出的平均年齡為四三點四〇歲。要成為有影響力的作者，年齡並無限制，從少年到白髮均可，令人鼓舞，說明了人不祗能夠和應該活到老學到老，而且具備「終生創作」的潛力。不過，純就年齡觀察，三十至四九歲的佔總數百分之六十五，特別是四十餘的年齡層，顯然是著述力最旺盛的時期，任何一類皆然。

就作者的國籍與初版時的語文分析：

非美國人或原非美國人：第一類十四人，第二類四人，第三類一人，第四類十五人，第五類八人，第六類三人，第七類二人，第八類四人，第九類六人，第十類十二人、共計六九人，約佔總數的百分之四十。

初版時非英文者計有三十三部，其中法文十部，德文九部，西班牙文五部，俄文三部，中文、捷克文、義大利文、波蘭文、蘇丹文和猶太文各一部。非英文者佔總數約百分之十九弱，主要分佈於第一、二、四、五、十類，而以第一、十類最多。

紐約公共圖書館的人員，自以本籍美國者居多，他們在挑選百年來最富有影響力的著作時，大體上心胸還算開放，「排外」心理不太嚴重。但亞洲、非洲的作品實在是少得不成比例，可能是受到文化背景的限制所使然，當然也可能是亞、非大陸處於弱勢文化地位有以致之。

就文類來分析：除了第二類（自然科學）和第八類（經濟與技術），全部屬於論文或敘述性、解釋性的散文外，在所有各類書籍中，以小說形式出之者多達八十一部，詩有十本，傳記含自傳九部，文學性散文、報導文學、日記各一部。文類的認定標準難免有模糊不清的灰色地帶，或許會有爭議，但由上面粗略的統計，顯然很容易得知，「小說」乃是人類藉以表達思想與感情的最主要形式，在《世紀之書》中佔百分之四十六強，「論文」次之。每隔一段時間，「小說死了」的論述便會被提出來，這個統計給予一個強而有力的駁斥。何況，小說的適用範圍最廣，除第二、八類之外，其他各類都有用小說來表現的情形。

不無意外的是：近二十年來流行於出版市場的書冊，如企業管理、投資理財、健身、旅遊、嗜好之類的作品，絕少出現在「世紀之書」的名單內。或許因為為時尚短，迄未造成深遠鉅大的影響。但似也間接印證了一項常理：「流行」、「時髦」、「暢銷」的出版品，並不必然具備什麼影響力，唯有歷經長期考驗的作品，才足以言影響力。

在《世紀之書》所列的一百七十五部著作中，有兩本官方文書，一本聖經英譯，一本編選的論文集，外加一本兩人合撰的著作，其餘一百七十部，全都是單一作者的心血結晶。這點意義何等重大。

過去這個世紀，法西斯主義與共產主義，企圖藉政治權力的集中，社會制度的設計整建，來消弭人的個體性，強調並突出集體的至高無上。另一方面，自由民主的體制，基本上施行資本主義，大量生產的工業結構，以消費為主的商業型態，同樣使許多作家或學者強烈批判資本主義，認為它透過比較無形的機制，逐漸腐蝕人的尊嚴與個性。晚近一百年，中國人不論生活在那一種體制下，早已聽夠了重視團隊精神的呼籲，申張個人重要性的論說，只能在左右的夾縫中，艱困地勉力維持一線生機。

至少就著述的領域而言，紐約公共圖書館選出的「世紀之書」，如果能給世人些許的教訓，那似乎該當是：

集體可以完成各式各樣的「作業」，「創作」總是屬於個人的。

個人，唯有獨立自主的個人，才是歷史發展的真正推動者。

（本文所述「世紀之書」，共計一百七十五本，限於篇幅，不便一一列出作者、首版出版時、地及公司名號，也無法把十二項歸類所列著作排印出來，雖則若能如此，與本文對照，或許可收相得益彰之效，但也可能顯得冗長單調。有興趣進一步探討的人士，其實可以逕自向各地公共圖書館借閱原書，甚為方便。Books of the Century：Oxford University Press, 1996）

——《美中新聞》，1997年7月25日

母愛是天性嗎？

你認為「是」或「否」。法國女教授伊利沙白・巴丁特研究了近四百年的母性行為，她認為，母愛不是上帝所賜，而是一項珍貴的禮物。她對她的孩子說：「愛，不是自動的。我們共同締造它。我決心愛你們。」

母愛是天性嗎？這個問題的提出，實在是對傳統觀念的一大挑戰。

我國文化向來注重倫理道德，而孝道則是倫理道德的根本。如果母愛不是出諸人的良知良能，那麼子女何以必須孝順父母的論據，必然受到嚴重的衝擊。在近代西方，學術界對母愛的詮釋主要來自盧梭與弗洛伊德的學說。他們兩人對「正常女性」所下的定義大體上很接近。都認為女性必須生育子女並妥為撫養照料，唯有這樣，女性之所以為女性，才趨於成熟。西方的現代文學作品中，不乏以女性的「母愛欲望」為主題，來說明男女關係，其實不過是同一思潮下的衍生。

可見不論東方西方，都把母愛當作是理所當然。然而這種信念有沒有實證的基礎呢？與人生現實中呈現的實際情形是否相符呢？

母愛是一項珍貴的禮物

一九八〇年，法國出版了一部書，名叫《母愛》（*L' Amour en*

Plus）。作者是伊利沙白・巴丁特（Elisabeth Badinter），她是法國現任司法部長的夫人，育有一女二子，本身擁有博士學位，在素負盛名的巴黎工藝大學講授「家庭史與家庭心理學」課程，父親是自蘇聯移居法國的猶太人，為法國最大的廣告公司的創始人。作者的背景不可謂不顯赫，而且，家庭事業兩皆有成。「母愛」這本書對「母親本能乃是天生的和放諸四海皆準的」這一信念，提出挑戰。該書自問世以來，不論是女性主義者或男性沙文主義者、學者、醫師，甚至是普通男女，均紛紛予以評論，毀譽交加，引起了熱烈而廣泛的爭議。單在法國，就已賣出二十餘萬本，目前且被譯成十三種文字流傳。論者以為，這是過去十年來，女性主義文獻在法國最成功的一部著作，與英語世界貝蒂弗里旦（Betty Friedan）的《女性奧秘》（*Feminine Mystique*）、凱蒂米萊（Kate Millett）的《性的謀略》（*Sexual Politics*），足相媲美。

作者的論證主要是根據她對過去四百年母性行為所做的研究。她鄭重地表示，母愛不是上帝所賜，而是一項珍貴的禮物。並且認為，母愛乃是人類的一種感受，跟任何一種感受一樣，不太紮實，頗為脆弱，而且不是十全十美的。與習常的想法相反，母愛並不是根深蒂固的存在於女人的本性中。根據作者對不同時代母性行為的變遷所做的觀察，她發現，母親對子女的關注與奉獻在某些時期相當明顯，但在有些時期則不然。以十八世紀的法國為例，當時住在大城的婦女，生下子女後，就交給農村的奶媽撫養，給予相當的報酬，即不予聞問，有時竟長達四年之久。作者曾調侃道，對於母愛的過度頌揚，有時是文人學士於養育子女的過程中遭遇挫折，深以為苦，於是予以美化、理想化。據作者自述，《母愛》一書出版後，她的子女便被同學們開玩笑說：「你看，你媽媽不愛你。」其實作者早已料到這一點，事先已向孩子們講清楚：「愛，不是自動的。我們共同締造它。我決心去愛你們。」這段話實已畫龍點睛似地將作者的中心思想托出。

兒童心理學家的顧慮

伊利沙白．巴丁特這部引起爭論的著作面世以後，兒童心理學家和兒科醫師反應遠較強烈。傑出的兒童心理學家布魯諾巴德海默（Bruno Bettelheim）就曾表示：他一生都花在問題兒童身上，就因為這些兒童的母親恨他們，對他們一無用處，因此毀了他們一生，許多母親之不具備母愛本能，早已耳熟能詳。但他深恐這部作品會助紂為虐，使得母親們因拋棄子女所產生的罪惡感一掃而空，而這種罪惡感又常常是這些不幸的兒童僅存的些許保障。布魯諾巴德海默的顧慮，不能說沒有道理。然而，更大的隱憂則是：生活在繁忙的工商社會，婦女就業的比例越來越高，「母愛不是天生的」這種觀點對職業婦女會產生作樣的影響呢？

僅就美國為例，一年便發生一百萬件以上兒童遭受虐待的案例，而且這種情形隨著社會的進展，似乎只見其增，不見其減。造成虐待兒童（或兒童沒有受到適當的照顧）的最主要原因，根據研究，就是由於經濟上的需要，迫使為人父母者雙方都需要藉工作來增加收入，因此投注在子女身上的時間與精力自然便等比例的減少，並且常把工作上的壓力帶回家庭。這不能不說是現代文明的一個危機。所幸其間倒也有些轉機，甚至出現令人鼓舞的現象。

父親扮演新角色

夫妻既然都工作，那麼把養育子女的責任完全放在女性身上，自然是不公平的，況且現代婦女大都受過相當完整的教育，對這種不公平的現象，絕無可能長期容忍下去。在家庭中，父親一職的角色功能因此也就有所改變了。在過去，無論中外，父親總是比較嚴肅，不輕易在子女面前表露自己的情感，甚至有意壓抑，現在他們發現必須親自去關愛、撫育子女，且能獲得樂趣，從而較能順乎自然地表現出對子女的親愛。三十歲左右的年輕夫婦，共同分擔為人父母的責任者，愈來愈多。換句話說，父兼母職（mothering father）已是現代家庭必然的趨勢。而在過去，養育子女彷彿與父親較無關係，甚至於在某種情形下，父親如在大庭廣眾摟抱小孩，會被認為是有損男子氣慨。

平心而論，我們的社會充滿了對母愛的感懷、讚美或頌揚。從古聖先賢的遺訓到當今的通俗作品，莫不以優美崇高的文字描述母愛。「慈母手中線，遊子身上衣，臨行密密縫，意恐遲遲歸」的感人詩句，只要是讀過的人，大概都會記得。即使流行歌曲，也會歌頌「那推動搖籃的手」。照理，縱的方面，既有這樣悠久的傳統文化的支持；橫的方面，又有如此廣包的社會觀念的認可，那麼，母愛應該是普遍呈現出來才對。但是我們如果肯多加觀察，卻又不難發現，為人父母而不具愛心的實例為數恐不在少。有時也會看到這種情形，即對同出己身的子女，竟然對某一子女產生不近情理的恨，對另一子女則極為偏心的愛，令人感到困惑。

父母無權不愛孩子

從整個社會的價值標準來看，子女如對父母不孝，必然被視為逆倫，是不可原諒的，這並沒有什麼不對；但是對於父母忽視子女或虐待子女，則一般人總是認為這是人家的家務事，不宜多言。其實，這種觀念未必十分正確；同時，對社會的健全發展，也未必有利。這些被忽視或被虐待的兒童，將來必然會變成其子女的父母，如何把自身不幸的經驗轉化成合理積極的心態，應當是我們社會努力的目標之一。

母愛是否天性，這個爭論不一定會有明確的答案，正如人性善惡的爭論一樣。但這個問題的提出，足以表示隨著現代社會的發展，一些古老的、相沿已久的觀念，不免因為現實環境的激發，而被人懷疑，而受到挑戰，今後，「母子連心」，也許會被視為是過時的神話；「天下無不是的父母」，似乎沒有考慮到子女的獨立人格與福利，應該予以修正；凡此種種，如再引申下去，當會造成更多的波蕩，對傳統觀念構成更大的衝擊。然而，即便經過慎密嚴謹的科學研究，證明母愛不是出諸人的本性，但母愛畢竟是人類生活中一項極其可貴的價值，沒有其他東西可以取代。何況，子女生到這個世界來，並不是出於他們的自由意志，父母是無權去選擇「不愛」子女的。如果由於母愛是否天性的探討，使我們自身能夠有所反省，因而更能合理、健康、有效地把母愛充分擴展到子女身上，這才是社會之福，討論這個問題也才有它積極的意義。

——《台灣婦女雜誌》，1982年1月

臺灣的流行文學與兩性關係

在農業社會，人們見面時先問：「吃飽了沒有？」西風東漸，大家一見面就問：「你好嗎？」而習以為常，大都忘了這不是中國話。

根據官方的統計，近來臺灣已成為亞洲離婚率最高的國家之一，心頭遂湧現一幕畫面：臺北街頭的摩登辦公大樓內，衣履光鮮的現代女性，早上一見面，很自然地脫口而出：「離婚了沒有？」臉上充滿自覺而自信的表情。

寧靜革命，影響深且遠；女性自覺，邁開一大步

這當然是杜撰的鏡頭，之所以如此表達，主要是想凸出一點：近百年中國婦女地位的提升，以及社會角色的更改，乃是前所未有的。如果能以一種歷史的縱深來做回顧，中國近代女性的地位與角色變化之大之速，真可以說是一場「寧靜革命」，遠比流血的政治革命影響更深更遠，使整個社會的體制和結構起了巨大的轉型，逐步改變了人的基本觀念。

以當今的臺灣為例，女性公務員和教員所佔比例，在中國歷史上沒有任何一個朝代足可比擬。臺灣婦女新知基金會創辦人施寄青宣佈角逐總統，二十多年前首倡新女性主義的立法委員呂秀蓮，宣布競選民進黨副總統候選人，不管成功機會如何，不能否認的她們已踏出了歷史的一大步。前陣子臺灣婦女運動，喊出了「不要性騷擾，只要性高潮」的口號，十年前恐怕無人敢提。某位大學副教授結束與其夫不

愉快的婚姻之後，母親遠從美國返臺替女兒慶祝離婚。臺大的女學生公然提議集體觀賞成人影片，不久前這位同學當選全校學生團體的領袖。這些實例與現象，當然並不表示女性已達到實質上與男性平等的境地，對女性不公平不合理的地方，仍所在多有。

精彩的現象或表象，未必是社會生活的真實反映。五月廿五日國府主計處發表最新的調查報告，臺灣男性平均每天做家事與育兒的時間只有一小時卅九分鐘，還不到女性三小時五十四分的一半，足證女性在家庭中仍然肩負料理家務的主要責任。其實，即使達到了男女平等的理想，由於社會總是持續前進的，兩性勢須恆常互相調整適應。革命永遠尚未成功，同志必須不斷努力。

早期文學，有戰爭陰影；作家筆下，女英雄當道

流行文化與文學，是一般人成長過程中最有可能最有機會去接觸的。有些強調純文學的人士，不免鄙視暢銷著作或流行文學。在市場經濟中，暢銷與否乃是消費者就他的收入所做的一項投票行為。關心社會現象的人，應該加以重視。以下試就個人成長過程中的閱讀與體驗，提出粗淺的看法。

國民政府遷臺以後，初期如林語堂的《京華煙雲》，王藍的《藍與黑》，香港徐速的《星星、月亮、太陽》，曾風行一時。這些作品是在戰爭的陰影下和實際戰事的進行中，男女愛情與國家命運相結合的典範，女主角都有女英雄的氣慨。像筆者這種年紀的臺灣人，我們的父母在日本就學時，曾經在運動會上按日本帝國政府的安排，一面踢人造的假石頭，一面高喊：「世界上最壞的石頭蔣介石！」但私底下卻不乏有人猛啃《京華煙雲》日譯本，作為瞭解祖國的敲門磚。這類

作品中的兩性關係，不但健康，而且愛國。

官方倡導，反共與懷鄉；流行領域，未央歌暢銷

其後官方倡導反共文學和懷鄉文學，但在流行文學的領域，六、七〇年代領風騷的則是郭良蕙、瓊瑤等人的作品。於青年學子中，鹿橋的《未央歌》（早期曾以《星月悠揚》的書名面世），更是暢銷一時，其年代事實上與上述典範型小說相近，且作者志不在成為流行著作，但書中的男女，卻又彷彿瓊瑤式的主角擺在高等學府，瀰漫著的仍是不食人間煙火的夢幻。稍晚的華嚴，早期作品盛行於學生讀者群，品味相似。郭良蕙的作品寫實性稍高，但在當時，像《心鎖》這部小說，稍微描述略為出軌的性行為，卻引起文學界如蘇雪林等的嚴厲批評，惹出極大的風波。（老一輩作家如林語堂，於小說《朱門》中，也安排了男女主角在鄉野性交，把自然與人性合而為一，說高深點也就是天人合一吧。）像無名氏早期的作品，如《北極風情畫》、《塔裡的女人》，在我們的少年時代風行一時，文字濃得化不開，男女之間愛的火苗真是呼天搶地，一吻而可以風雲變色，但對當時的青少年而言，卻多少滿足了他們對愛情的渴慕和幻想（龍應台多年後為文評小說時，曾對無名氏提出精彩而凌厲的批評，讀來過癮之至，但卻莫忘了「今之視昔」也有它的局限）。

瓊瑤作品，多產又流行；男女關係，少社會批判

當然，這段期間仍是以瓊瑤最多產，讀者數大概也最多，同時又

是電影又拍電視連續劇，又有流行歌曲助陣，在流行文學的領域裡近乎舖天蓋地而來。人間罕見的男女主角，配上迷離的身世，曲折的愛情歷程，不時點綴著古典而比較易懂的詩詞，流利中又不缺少文藝風味，暢銷甚或長銷，誰曰不宜？瓊瑤小說中的男女關係，絕少社會批判的意含，但不能否認的是，它也達成了可觀的社會功能——滿足了許多讀者對現實世界以外的感性追求（有如武俠小說滿足了讀者對現實世界以外的正義追求）。小說中的人物與愛情，總是帶點夢幻的色彩。當然，像司馬中原、朱西寧等人的小說，也盛行一時，且對文藝的發展貢獻更大，只以作者閱歷有限，宜由更富學養者申論。

鄉土文學，引發了論戰；七〇年代，廖輝英代表

到了七〇年代中期，由於臺灣政治、經濟、社會情勢的發展，在文學上產生了鄉土文學的論戰，是文藝發展史上的一件大事。但對流行文學的影響如何，似仍有待研究。就整個社會發展而言，都市生活的比重已經極為明顯，投射到流行文學上，就是比較寫實地對城市生存的形形色色有所思考。在林林總總的作品當中，廖輝英或許不失為流行文學的代表。從《油蔴菜仔》開始，廖輝英對臺灣女性命運的描述，始終著力甚多。後來關切都市男女的糾纏，更演化成多部暢銷小說。讀罷她的小說，常會使人有所感歎，為什麼善良純真的女性，或傳統意義下的「好女性」，在現代都市的婚姻生活中，屢遭挫折，甚至運途多舛！這已經是間接地對社會體制有所批判。至於李昂的作品，則社會批判性更強。朱秀娟則是另一種典型。

婦運興起，顛覆大作戰；男性優勢，不斷被侵蝕

進入八〇年代，臺灣的流行文化更是多采多姿。其中尤其值得重視的，乃是女性主義、婦女運動的興起。一批批接受本國和外國高等教育的女性，帶著強烈的現代心態與批判精神，針對傳統以男性為主宰的社會與文化體制，展開有力的顛覆。她們的作品，批判的意味重，即使假借文學的形式，坦白講，也不具備或講究技巧，並沒有多少文學性，李元貞的《愛情私語》、《婚姻私語》，即屬此類。但在流行的文化或文學當中，卻成了突起的異軍，說明了它已然是一股無從漠視的主力。

兩性之間，出現假平等；相互爲用，才能創雙贏

概略地講，臺灣的流行文學與文化，經歷了典範、夢幻、寫實、批判的道路，使得男女兩性的關係，呈現了極為可觀的變化。總的來說，女性的地位逐步提升，相形之下，傳統上男性享有的一些優勢或特權，逐漸被侵蝕。雖然女性地位的抬高，並不必然就該當是男性地位的低落，但習於男性為主宰的人，一時之間也不容易妥為適應。然而，當前風起雲湧的婦女運動，也有不少令人憂心的地方，其中尤其以誤把「雄性化」視為平等的幻覺，最值得警惕。男性的惡習諸如嫖妓、吸菸等，難道女性也得同比例的去嫖男妓、抽菸才算平等嗎？原則上，男女之間應該相互為用、彼此欣賞，以創造一個「雙贏」的局面為目標。

最後，不妨請大家設想這麼一場場景：某星期六早上十一點左

右，李先生和林先生相約吃廣東飲茶。李約四十出頭，林已五十有餘。李先生感慨不已，他的配偶事業做得相當不錯，但交際應酬太多，不僅經常很晚回家，最近更是變本加厲，已有幾次根本不回家睡的紀綠，李先生口氣中隱含對方已有外遇。林先生事實上是過來人，聽李這麼一說，多少知道今天飲茶的用意何在，於是很誠懇地向年輕一些的李先生勸說：「其實你要看開一點，不必太在意，過一段時間，她終究還是會回頭的，最後勝利還不是你的嗎？」

假定這樣的場景在將來出現，且比例不低，請問：你覺得這是進步嗎？

——《美國世界日報　世界週刊》，1995年7月9日

出版後記

多年來，曾於海內外發表過為數不少的論文、評析和專欄文章。這次得以挑選結集成《腳踏中西，依稀猶學術》及《辣手篇章照初心》兩書，並蒙臺北萬卷樓圖書股份有限公司同意出版，作者內心至感安慰；但更重要的，還是期望對故鄉臺灣能有些許的助益。

萬卷樓梁總經理錦興先生的視野與承擔，作者亟願表達誠摯的感謝與敬意。至於實際執行編纂工作的副總編輯張晏瑞先生、編輯吳家嘉小姐，兩人應屬子弟輩，但透過實際的交談與多次電子郵件往來，他們的專業及敬業，在在令人欣賞。

這兩本書出版過程愉快的共事經驗，不禁想起世界知名作曲家馬勒（Mahler）說的話：

「傳統旨在使香火更旺，絕非去膜拜灰燼。」

（Tradition is to feed the fire , not to worship the ashes.）

文化上的薪火相傳，這是最好的詮釋。

廖中和

2015 年 9 月 26 日於芝加哥

文化生活叢書·藝文采風 1306014

腳踏中西，依稀猶學術——一位自由人的政治文化評論

作　　者　廖中和
責任編輯　吳家嘉

發 行 人　陳滿銘
總 經 理　梁錦興
總 編 輯　陳滿銘
副總編輯　張晏瑞
編 輯 所　萬卷樓圖書股份有限公司
排　　版　菩薩蠻數位文化有限公司
印　　刷　維中科技有限公司
封面設計　斐類設計工作室

發　　行　萬卷樓圖書股份有限公司
臺北市羅斯福路二段 41 號 6 樓之 3
電話 (02)23216565
傳真 (02)23218698
電郵 SERVICE@WANJUAN.COM.TW
大陸經銷　廈門外圖臺灣書店有限公司
電郵 JKB188@188.COM
香港經銷　香港聯合書刊物流有限公司
電話 (852)21502100
傳真 (852)23560735

ISBN 978-957-739-810-9
2016 年 1 月初版

定價：新臺幣 280 元

如何購買本書：
1. 劃撥購書，請透過以下郵政劃撥帳號：
帳號：15624015
戶名：萬卷樓圖書股份有限公司
2. 轉帳購書，請透過以下帳戶
合作金庫銀行 古亭分行
戶名：萬卷樓圖書股份有限公司
帳號：0877717092596
3. 網路購書，請透過萬卷樓網站
網址 WWW.WANJUAN.COM.TW
大量購書，請直接聯繫我們，將有專人為您服務。客服：(02)23216565 分機 10

如有缺頁、破損或裝訂錯誤，請寄回更換

Printed in Taiwan

國家圖書館出版品預行編目資料

腳踏中西,依稀猶學術 ：一位自由人的政治文化評論 / 廖中和著. -- 初版. -- 臺北市：萬卷樓, 2016.01
面； 公分
ISBN 978-957-739-810-9(平裝)
1.言論集 2.時事評論

078　　104029018